FOLIO CADET

D1366992

À mon mari

Traduit de l'anglais
par Zerline Durandal

Maquette : Maryline Gatepaille

ISBN : 978-2-07-062214-6
Titre original : *Glitterwings Academy – Fairy Dust*
Édition originale publiée par Bloomsbury Publishing Plc, Londres
© Lee Weatherly, 2008, pour le texte
© Smiljana Coh, 2008, pour les illustrations
© Éditions Gallimard Jeunesse, 2009, pour la traduction française
N° d'édition : 161168
Loi n° 49-956 du 16 juillet 1949 sur les publications destinées à la jeunesse
Dépôt légal : septembre 2009
Imprimé en italie par L.e.g.o S.p.a

L'École des Fées

Titania Woods

La poussière magique

illustré par Smiljana Coh

FOPLA / AABPO

GALLIMARD JEUNESSE

Twini

Bimi

Pix

Fizz

Sili

Zena

Mariella

Lola

— Tu ne trouves pas ça merveilleux, d'être de retour à l'École des Fées ? demanda Twini Papivole à sa meilleure amie, Bimi Jacinthe. J'ai tellement hâte de revoir les autres !

Elle fit un saut périlleux dans les airs et ses ailes se fondirent en un brouillard mauve. Bimi approuva d'un sourire tandis que les deux amies voltigeaient à travers la brume de ce matin hivernal.

— On a passé de super vacances. J'ai du mal à croire qu'elles soient déjà terminées.

Twini hocha la tête, les yeux brillants.

– C'était étinsorcelant. Il faut impérativement que tu reviennes chez nous cet été.

Bimi avait passé la dernière semaine des vacances d'hiver chez Twini, et les deux amies s'en étaient donné à cœur joie. La famille Papivole habitait au bord d'une rivière et, avec Tina, la petite sœur de Twini, elles avaient patiné sur le cours d'eau gelé. Elles prenaient leur élan dans les airs, puis glissaient sur la glace à pleine vitesse, en criant comme des folles. Noisette, la souris de la famille, ne s'était pas privée de faire des cabrioles avec elles.

Ensuite, elles étaient allées passer quelques jours dans la vieille souche d'arbre douillette où habitait la grand-mère de Twini. Elle avait beaucoup gâté les filles en leur faisant des petits gâteaux au miel tout frais, et en leur racontant des histoires de sa jeunesse.

Twini vira sur l'aile pour éviter une toile d'araignée givrée et soupira d'aise. Elle avait bien profité de ses vacances… ce qui ne l'empêchait pas d'être maintenant impatiente de retourner à l'École des Fées. Elle se sentait désormais chez elle dans le grand chêne.

– Et n'oublie pas qu'au prochain trimestre, nous serons en deuxième année ! lui rappela Bimi.

Les ailes de Twini frissonnèrent d'excitation.

– Mervélicieux ! On va apprendre à utiliser la poussière magique et plein d'autres choses !

Le père de Twini, qui ouvrait la voie, se mit à rire.

– Je frémis à l'idée de ce que vous pourriez faire avec de la poussière magique ! Peut-être vaudrait-il mieux que vous restiez en première année, cela serait plus sûr pour tout le monde !

Twini lui fit une grimace, puis les filles éclatèrent de rire.

– Ouh là là ! imagine ce que pourrait faire Fizz avec de la poussière magique ? pouffa Bimi.

– Mmm, acquiesça Twini, peut-être que papa a raison.

Fizz avait autrefois été sa meilleure amie, et Twini était bien placée pour savoir qu'elle était de nature impulsive. Sa nouvelle meilleure amie, Bimi, était beaucoup plus réfléchie !

Twini l'observa, et fut de nouveau frappée par sa beauté. Elle avait des cheveux d'un bleu nuit chatoyant, et ses ailes argentées, parsemées de volutes dorées, étaient très originales. La première fois qu'elle l'avait rencontrée, elle l'avait trouvée un peu hautaine. En réalité, Bimi était extrêmement timide et avait horreur que l'on s'extasie sur son apparence physique.

– Les filles, on y est presque ! annonça la mère de Twini. Regardez, on voit déjà l'école !

Twini et Bimi échangèrent un regard plein d'impatience. Elles accélérèrent, survolèrent l'herbe givrée comme des flèches, avant de dépasser une petite colline et là, elles s'arrêtèrent brusquement en poussant un cri.

– Que c'est beau ! souffla Twini.

La mère de Twini sourit d'un air approbateur en les rejoignant.

– Le grand chêne est magnifique en hiver. J'ai toujours pensé que c'était mon trimestre…

– … mon trimestre préféré à l'École des Fées ! termina son père avec un sourire malicieux.

Twini et Bimi s'esclaffèrent lorsque Mme Papivole fit semblant de lui donner une tape sur le bras. Même si elle répétait la même chose chaque trimestre, c'était tout de même vrai que l'école avait une allure imposante. Le grand chêne qui l'abritait étincelait dans la brume grise, et ses branches nues étaient toutes blanches de givre. Des centaines de minuscules fenêtres dorées s'enroulaient autour de son tronc et il semblait qu'à sa base, un sourire de bienvenue animait l'immense double porte.

– Mais… il n'y a personne ! remarqua Bimi. On dirait que tout est désert.

Twini fronça les sourcils. Son amie avait raison. Habituellement, le jour de la rentrée, des nuées de fées virevoltaient autour du tronc, en échangeant leurs souvenirs de vacances. Mais là, pas l'ombre d'une fée en vue.

– Peut-être fait-il trop froid pour rester dehors, hasarda Mme Papivole. Ils doivent tous être en train de se chauffer les ailes à l'intérieur.

– Oui, peut-être, fit Twini, d'un air dubitatif.

Tout à coup, Bimi eut un hoquet de surprise.

– Regardez la mare !

Twini tournoya en l'air et écarquilla les yeux.

À quelques mètres de là, la mare de l'école était gelée. Et en son centre se dressait une haute colonne de glace scintillante. Des centaines de rubans givrés s'échappaient de

son sommet, comme une longue chevelure de glace.

Voilà pourquoi le grand chêne paraissait désert. Les élèves survolaient la mare, en petits nuages colorés bourdonnants d'excitation.

— Qu'est-ce que c'est ? demanda Bimi.

— Une colonne de glace ! murmura le père de Twini.

Les deux amies échangèrent un regard perplexe.

— Une colonne de glace ?

Ses parents étaient étrangement silencieux. Son père passa le bras autour des épaules de sa mère. Ils planaient côte à côte en fixant la colonne, un sourire distrait aux lèvres.

Twini les observa, puis regarda Bimi. Son amie paraissait aussi perplexe qu'elle.

— Oh, elle est vraiment très belle, soupira sa mère. J'aurais tellement aimé pouvoir assister à ça.

— Pour voir quoi ? interrogea Twini.

Son père sortit de ses pensées et sourit.

– Eh bien, Twinidou, tu vas passer un trimestre très intéressant !

– Mais…

– Tu nous écriras souvent, n'est-ce pas, ma chérie ?

La mère de Twini les serra dans ses bras et frotta ses ailes contre les leurs.

– Et nous sommes déjà très fiers de vous ! C'est un grand honneur, vous savez.

– Mais quoi ? Qu'est-ce qui se passe, enfin ? s'écria Twini, exaspérée.

Son père rit en leur tendant leurs sacs en feuille de chêne.

– Nous allons plutôt laisser Mlle Tincelle vous en parler. Passez un bon trimestre, les filles. C'est sûr, vous ne l'oublierez jamais !

Tandis que ses parents s'éloignaient, Twini se tourna vers Bimi.

– Qu'est-ce que c'est que cette histoire ? s'exclama cette dernière. Ce n'est pas le genre de tes parents, toutes ces cachotteries !

Twini, totalement perdue, haussa les épaules.

– Viens, on va examiner ça de plus près !

Le vent froid sifflant dans leurs ailes, elles filèrent jusqu'à la mare. Puis elles papillonnèrent parmi les groupes de fées qui bavardaient, et essayèrent de s'approcher de la colonne de glace.

– Regarde, Pix est là ! remarqua Twini.

L'astucieuse fée aux cheveux roux, ainsi que d'autres élèves de la branche des Jonquilles, planaient non loin de là. Twini et Bimi furent accueillies par un concert de cris, d'embrassades et de battements d'ailes.

– Mais qu'est-ce que c'est que ça ? finit par demander Twini. Mes parents ont appelé ça une colonne de glace, mais ils ont refusé de nous dire à quoi ça servait !

Pix secoua la tête.

– Personne n'en sait rien. Elle est apparue pendant les vacances.

De près, la colonne de glace paraissait encore plus impressionnante. Sa surface était délicatement sculptée, à l'effigie de toutes les créatures imaginables. Les longs rubans givrés, doucement agités par le vent, tintaient comme des clochettes. Twini s'absorba dans sa contemplation, et le monde entier parut s'arrêter. Cette colonne de glace était si belle et si mystérieuse.

– C'est de la magie ? entendit-elle murmurer.

– Sans aucun doute, répliqua l'une de ses camarades. Mais ce n'est pas l'œuvre des fées.

Twini retint son souffle. Si ce n'était pas de la magie féerique, alors, qu'est-ce que ça pouvait bien être ? La magie n'était pas un art que beaucoup de créatures pratiquaient.

– Allons, les fées, on rentre ! ordonna une voix.

Mme Volauvent, responsable des premières années et professeur de vol, pressa la foule des élèves.

– Il se fait tard et il est temps d'aller vous installer dans vos branches avant le dîner !

– Mais, madame, qu'est-ce que c'est ? la questionna une fée de quatrième année.

De manière tout à fait inattendue, Mme Volauvent esquissa un sourire et tapota ses cheveux bleu ciel pour les remettre en place.

– Vous le saurez ce soir ! Allez, maintenant venez, mes fées follettes !

Elle rasa la colline pour retourner vers le grand chêne et toutes les élèves se regardèrent.

– Pourquoi tant de mystère ? murmura Pix.

– Je n'en ai aucune idée, répondit Zena, une grande fée de la branche des Jonquilles, mais je brûle d'envie d'en savoir davantage.

Twini donna un petit coup d'aile à Bimi.

– Viens, chuchota-t-elle. On va s'assurer qu'on a les mêmes lits qu'au dernier trimestre.

– Oh, plume ! J'avais presque oublié, s'exclama Bimi. On ferait bien de se dépêcher.

Les deux fées s'envolèrent à tire-d'aile pour prendre les autres de vitesse, puis plongèrent dans le bâtiment par la grande porte.

À l'intérieur, le tronc du chêne était une haute tour inondée de lumière dorée, et des dizaines de branches partaient dans toutes les directions. Des fées allaient et venaient en voletant comme des colibris.

Twini et Bimi montèrent en spirale, passant à toute vitesse devant les classes. À peu près à mi-hauteur, elles s'engouffrèrent dans une branche et se posèrent en sautillant devant une porte en écorce.

— Je pense que nous sommes les premières ! dit Twini, hors d'haleine, avec un sourire satisfait.

Bimi acquiesça, une lueur de malice dans les yeux.

— Brillantastique : on va retrouver nos lits !

Twini ouvrit la porte du petit dortoir accueillant, avec ses tapis de mousse verte et ses lits de mousse moelleux. Au-dessus de chaque lit, une jonquille était suspendue à l'envers comme un petit baldaquin. Mais finalement, la branche des Jonquilles n'était pas vide. Une fée aux cheveux mauves et aux ailes roses était affalée en travers d'un lit et feuilletait un magazine de pétales.

– Fizz !

Twini voleta à travers la branche. On pouvait compter sur Fizz pour être toujours là où on ne l'attendait pas !

Son amie se leva d'un bond.

– Coucou, ma jumelle inversée, s'écria-t-elle, en se jetant à son cou.

Les cheveux de Twini étaient roses et elle avait les ailes mauves, exactement l'inverse de Fizz, ce qui lui avait valu son surnom.

– Qu'est-ce que tu fais là ? demanda-t-elle. Toutes les autres sont dehors !

Fizz haussa un sourcil.

– Pourquoi je n'aurais pas le droit d'être là ? Tu te souviens qu'on est dans le même dortoir ? Salut, Bimi, ajouta-t-elle.

– Salut, Fizz, lui répondit-elle en souriant. Tu as passé de bonnes vacances ?

Pourtant, Twini sentait une légère raideur chez sa meilleure amie. Bimi pensait que Fizz était irresponsable et qu'il ne fallait pas se fier à elle. Elle avait raison… mais Fizz pouvait aussi être tellement drôle !

– Oui, des vacances splendiradieuses ! répondit Fizz en chassant de ses yeux une mèche de cheveux mauves. Nous sommes allées chez ma cousine. Elle va à l'Académie féerique, vous savez, et on a fait des tas de choses. On…

– Mais, Fizz, la coupa Twini, tu n'as pas vu la colonne de glace ? C'est vraiment extraordinaire ! Elle est sculptée sur toute sa surface et…

Fizz haussa les épaules.

– Oui, oui, j'ai vu. C'est intéressant, le temps d'un battement d'ailes. Mais je ne comprends pas pourquoi tout le monde est fasciné par ce gros glaçon !

Twini se mordit la lèvre, consternée. Fizz ne s'intéressait jamais à grand-chose, à part faire de la voltige dans les airs ou jouer des tours aux professeurs. La magie polaire de la colonne de glace ne l'avait absolument pas impressionnée.

– Viens, Twini, on va faire nos lits.

L'expression de Bimi lui confirma qu'elles pensaient toutes les deux la même chose. Elle soupira intérieurement. Ah, elle aimerait tellement que ses deux amies s'entendent un peu mieux !

Fizz papillonna des ailes, en faisant la grimace.

– Vos lits habituels près de la fenêtre ? Je crains que deux fées que vous connaissez bien ne vous aient prises de vitesse.

Twini était estomaquée.

– Qui ?

– Mariella et Lola, répondit Fizz, en se laissant retomber sur son lit. Elles y avaient déjà déposé leurs affaires lorsque je suis arrivée… regardez.

Twini se rendit compte qu'elle avait raison et son cœur se serra.

Le vernis à ailes de Mariella trônait sur le champignon de chevet qui avait été celui de Twini durant les trois trimestres précédents. Un portrait de la famille de Lola se dressait sur l'ancien champignon de Bimi.

– Ah, les pestes ! explosa Twini. Elles ont dû venir ici avant tout le monde.

Bimi avait l'air déçu, mais elle battit à peine des ailes pour manifester sa désapprobation.

– Eh bien… c'est exactement ce que nous nous apprêtions à faire, observa-t-elle d'un air avisé.

– Je sais… mais…

Twini s'arrêta et soupira.

Cela ne l'aurait pas autant ennuyée si

quelqu'un d'autre avait choisi ces lits. Mais là, il s'agissait de cette horrible Mariella ! C'était vraiment injuste.

Les yeux violets de Fizz étincelaient d'un éclat malicieux.

– Eh bien, on n'a qu'à remettre leurs affaires sur leurs lits habituels ! Imaginez un peu la tête de Trompe de Moustique quand elle reviendra !

Elle pointa le nez en l'air en imitant Mariella.

Twini rit malgré elle.

– C'est tentant… mais non, on ne peut pas faire ça !

– Alors, installons-nous près de la porte, suggéra Bimi. Ces lits sont aussi jolis… et il y a même un placard supplémentaire que nous pourrons utiliser.

Twini acquiesça à regret.

– D'accord, les fenêtres vont me manquer un peu, malgré tout.

Elle choisit le lit le plus proche de la porte et se mit à déballer ses affaires. Les autres

fées de la branche des Jonquilles commencèrent à arriver en continuant à parler de la
colonne de glace. Les dernières à pénétrer
dans la branche furent Mariella et Lola.
Mariella, une fée au visage pointu et aux
cheveux gris-vert, sourit en voyant Twini.

– Que se passe-t-il ? demanda-t-elle non-
chalamment, en regardant tour à tour les
deux amies. Vous ne vouliez pas vos lits
habituels ?

Lola, une petite fée mince aux ailes bleu
pâle, ricana.

Twini essaya de paraître surprise.

– Non, nous avions envie de changer.
Comme vous ! Pourquoi ?

Mariella se tut, la mine renfrognée. Twini
et Bimi échangèrent un regard complice.
Bimi sortit de sa cage son réveil-grillon,
tapota sa tête d'un brun brillant et lui donna
un morceau de feuille à manger.

Tout à coup, Sili fit irruption dans le dortoir en vrombissant.

– Oh, vous avez tout raté ! Vous veniez de

partir quand cette… cette chose est… sortie de l'eau !

Twini en lâcha sa brosse-chardon.

– Quelle chose ? s'écria-t-elle.

– Une sorte… une sorte de lutin d'eau. Et il PARLAIT !

Sili prit une voix grave :

– Il a dit : « Il faut traiter la colonne de glace avec respect ! Nous vous l'avons apportée pour une bonne raison ! »

Perplexes, les fées de la branche se regardèrent sans rien dire.

Pix plissa le front, pensive.

– Ce doit être un gobelin d'eau, affirmat-elle. Ce sont les seuls génies de l'eau qui pratiquent la magie. Mais j'ignorais qu'il y en avait dans la mare ! Ils sont très rares de nos jours.

Un gobelin d'eau ! Twini avala sa salive et se remémora toutes les légendes qu'elle avait entendues à propos de ces petits êtres bourrus et grincheux. Et elle qui doutait de leur existence !

– Mais qu'est-ce que ça signifie ? demanda Bimi. Pour quelle bonne raison nous ont-ils apporté la colonne ?

Zena secoua la tête.

– L'école est au courant, de toute façon… Rappelez-vous ce qu'a dit Mme Volauvent. Je pense que nous apprendrons bientôt de quoi il s'agit.

Mariella renifla et passa la main dans ses cheveux.

– Eh bien, je pense que c'est une honte de nous faire patienter de cette manière. Nos parents nous ont inscrites dans cette école, nous avons tout de même le droit de savoir ce qui s'y passe !

Fizz leva les yeux au ciel.

– Va te plaindre à ta maman, alors ! Avec un peu de chance, elle t'enverra dans une autre école !

Mariella lui tourna le dos, vexée. Twini cacha un sourire… puis repensa aux sculptures étinsorcelantes de la colonne de glace. Sili avait-elle réellement vu un gobelin d'eau ? Le cœur battant à tout rompre, elle finit rapidement de ranger ses affaires.

Son père avait dit qu'elle n'oublierait jamais ce trimestre et Twini avait bien l'impression qu'il avait raison.

La Grande Branche était la plus spacieuse de toute l'école. C'était une longue pièce haute de plafond remplie de tables de mousse verte. Chacune d'elles était surplombée d'une fleur différente et, l'été, la salle resplendissait comme un jardin ensoleillé.

Mais pour l'heure, au cœur de l'hiver, les fenêtres cintrées ne laissaient voir que la nuit noire, et la Grande Branche n'était éclairée que par les lanternes-lucioles suspendues au plafond. « Comme c'est beau ! » se dit Twini en y entrant. On se serait cru dans un mystérieux jardin au clair de lune.

Avec son amie Bimi, elles voletèrent jusqu'à la table des Jonquilles et se perchèrent sur leurs tabourets-champignons à pois. Mlle Tincelle, la directrice, se tenait sur l'estrade, ses ailes arc-en-ciel repliées dans le dos. Les professeurs responsables de chaque niveau étaient assis derrière elle. Rien sur leurs visages ne laissait penser que quelque chose d'inhabituel se produisait.

– J'espère qu'elle ne va pas nous tenir en haleine trop longtemps, chuchota Twini.

– Oh oui, renchérit Bimi à voix basse. J'ai vraiment hâte de savoir ce qui se passe.

Lorsque tout le monde fut installé, Mlle Tincelle s'envola gracieusement au-dessus d'elles. Instantanément, le silence se fit dans la branche et des centaines de jeunes fées, les yeux brillants d'impatience, se tournèrent vers elle.

– Les filles, je vous souhaite la bienvenue à l'École des Fées, annonça Mlle Tincelle de sa voix grave et forte. J'espère que vous avez toutes passé de bonnes vacances, que vous êtes bien reposées et fin prêtes pour ce nouveau trimestre.

Twini ne tenait pas en place sur son champignon. « Oh, s'il vous plaît, dites-nous ce

qui se passe ! implora-t-elle silencieuse-
ment. Nous mourons toutes d'envie de le
savoir ! »

La directrice sembla lire dans ses pensées.
Ses yeux étincelèrent lorsqu'elle parcourut
du regard l'assemblée des élèves.

– J'ai une nouvelle très particulière à vous
annoncer. À votre arrivée, vous avez dû
remarquer un élément inhabituel à proxi-
mité de notre grand chêne : la colonne de
glace dans la mare.

Oui ! Twini se redressa sur son siège,
bouillant d'impatience.

Mlle Tincelle

– Je vais tout vous expliquer, mais je dois d'abord vous informer de ce que nombre de fées ignorent, reprit Mlle Tincelle. Les plus âgées d'entre vous savent bien que les fées participent au changement des saisons grâce à la magie… mais le processus a toujours été tenu secret, excepté pour les quelques élues qui sont concernées.

Pas une aile ne frémit dans la branche. Les petites fées étaient tout ouïe.

– Le printemps débute chaque année à un endroit précis, avant de se propager dans le monde entier, poursuivit la directrice. Changer l'hiver en printemps constitue l'une des missions les plus importantes qu'une fée puisse accomplir. Par conséquent, celles qui pratiquent cette magie sont personnellement choisies par la reine Mab.

Mlle Tincelle marqua une pause pour balayer l'assemblée du regard. La Grande Branche était plongée dans un profond silence et les élèves étaient suspendues à ses lèvres.

Enfin, un léger sourire éclaira le visage de la directrice.

– Je suis fière de vous annoncer que, cette année, c'est l'École des Fées qui a l'immense honneur d'avoir été sélectionnée.

Un hoquet de surprise secoua l'assistance. Les fées de la branche des Jonquilles se regardaient, les yeux écarquillés.

– Mais les fées n'accomplissent pas cette tâche toutes seules, ajouta Mlle Tincelle. D'autres êtres magiques doivent les seconder et, cette fois-ci, les gobelins d'eau se sont proposés pour nous aider. Habituellement, ce sont des créatures très secrètes qui recherchent la solitude, et nous sommes de ce fait doublement honorées.

« C'était donc bien un gobelin d'eau ! » pensa Twini tandis que Mlle Tincelle continuait.

– La colonne de glace a été bâtie par les gobelins. Cela constitue la première partie du processus magique. Ce sont les fées qui se chargeront de la seconde moitié. Le dernier jour de l'hiver, à l'aube, chaque fée de l'école devra prendre un des rubans de givre qui tombent de la colonne pour exécuter la danse sacrée permettant de faire venir le printemps.

Que de nouvelles ! Twini en avait la tête qui tournait. Mlle Tincelle survola ses élèves en souriant.

– Puis, juste au bon moment, nous utiliserons la poussière magique afin de transformer la colonne de glace en pousse verte qui grandira. Et le printemps pourra se propager, depuis l'École des fées, dans le monde entier.

La poussière magique ! Mais… elles ne devaient pas apprendre à s'en servir avant l'année suivante ! La bouche de Twini s'assécha subitement. Jetant un regard autour d'elle, elle s'aperçut que les autres premières années avaient la même mine déconfite. N'auraient-elles donc pas le droit de prendre part à cet événement ?

Mlle Tincelle baissa la voix.

– Comme je vous l'ai dit, cette cérémonie

est totalement secrète. Nous seules, les fées de l'école, serons autorisées à y assister… en compagnie, bien entendu, de la reine Mab et de ses conseillers.

Un instant, il n'y eut aucune réaction, puis toute l'assistance sembla s'animer en même temps. La reine Mab ! Ici, à l'École des Fées !

Twini en avait les larmes aux yeux. Elle avait toujours voulu rencontrer la reine des fées. Mais voilà que le jour où la souveraine viendrait dans son école, elle et ses camarades seraient tenues à l'écart ! Ravalant ses larmes, elle fixa le parquet brillant de cire.

– Ai-je besoin de vous dire qu'il s'agit d'un événement qui n'arrive qu'une fois dans la vie d'une fée, ajouta gravement Mlle Tincelle. Nous souhaitons que chacune d'entre vous ait la possibilité d'y participer… c'est pour cette raison que les élèves de première année auront la chance d'apprendre à utiliser la poussière magique dès ce trimestre. Celles qui sauront la manipuler pourront ainsi participer à la cérémonie du printemps.

Soulagée, Twini serra la main de Bimi dans la sienne. De l'autre côté de la table, les yeux de Pix luisaient comme des gouttes de rosée. Même Mariella et Lola avaient l'air enthousiastes.

– Voilà, j'en ai terminé, conclut Mlle Tincelle. Je pense que nous avons toutes mérité un bon repas. Papillons, c'est à vous !

Elle leva un bras en l'air. À son signal, un arc-en-ciel de papillons se déploya dans la Grande Branche, portant des plats en feuille de chêne chargés de gâteaux aux graines sucrées. Ils déposèrent la nourriture sur les tables en battant gracieusement des ailes, pendant que les exclamations fusaient de toutes parts.

– Vous imaginez ! souffla Sili. C'est nous qui allons changer l'hiver en printemps, cette année !

– Si nous apprenons à manier la poussière magique.

Un pli d'inquiétude barra le front de Bimi.

Pix éclata de rire.

– Bah, ça ne devrait pas être trop difficile… même la sœur de Fizz a réussi, alors !

– Tais-toi donc, répliqua Fizz avec un sourire.

Sa sœur Winn était aussi élève à l'École des Fées, en quatrième année, et elle lui ressemblait beaucoup.

Twini croqua dans son gâteau.

– Fizz, est-ce que Winn t'a déjà expliqué comment employer la poussière magique ?

Son amie la regarda comme si elle était devenue folle.

– À part pour faire des farces, non. On ne parle pas de nos cours, on en a bien assez comme ça à l'école ! Mais je suis sûre que c'est facile. Toutes les fées savent utiliser la poussière magique.

Elle se versa de la rosée fraîche du pichet en coque d'amande.

Twini se mordit la lèvre. Toutes les fées savaient également voler… mais elle avait mis une éternité pour y parvenir. La poussière magique lui causerait-elle les mêmes soucis ?

Bimi lui pressa la main.

– Ne t'inquiète pas, murmura-t-elle. Tu y arriveras.

Twini, reconnaissante, lui rendit son sourire. L'un des grands avantages d'avoir une amie comme Bimi était que chacune pouvait presque lire dans les pensées l'une de l'autre.

– Toi aussi, lui chuchota-t-elle, sachant qu'elle manquait de confiance en elle.

– J'espère… on verra bien.

Pendant que les conversations se poursuivaient à leur table, Twini avala une autre bouchée de son gâteau, mais elle en sentit à peine le goût délicieusement sucré, trop préoccupée qu'elle était par les sculptures de glace, les gobelins d'eau et l'arrivée du printemps.

Son père avait raison. Ce trimestre allait être inoubliable.

Chapitre
deux

Le lendemain matin, bien avant l'heure prévue, les fées de la branche des Jonquilles voltigeaient impatiemment en attendant Mlle Feufollet à la porte de la classe. Elles n'avaient jamais été aussi pressées de se rendre à un cours.

Toutes portaient leurs uniformes assortis, des robes en clochette de jonquille, ainsi que leur béret en feuille de chêne. Les autres fées passaient près d'elles en voletant vêtues des robes-fleurs correspondant à leur branche – coquelicot, jacinthe des bois et rose – et toutes coiffées du béret de l'école penché sur le côté.

Oh, ce serait absolument étinsorcelant d'apprendre à manier la poussière magique, après en avoir tant entendu parler ! Twini flottait dans les airs, incapable de se tenir tranquille.

— Imaginez un peu, transformer l'hiver en printemps !

— Et voir la reine Mab et ses conseillers ! renchérit Sili. Et tiens, peut-être pourrons-nous même la rencontrer.

À cette pensée, elle sauta en l'air d'une bonne trentaine de centimètres.

Le cœur de Twini s'emballa. Rencontrer la reine ! Serait-ce seulement possible ?

Mariella tapota ses cheveux gris-vert.

— Ma famille connaît très bien la reine. Je suis persuadée que j'aurai l'occasion de la saluer personnellement.

— Oh, Mariella, c'est vrai ? susurra Lola pendant que les autres levaient les yeux au ciel.

— Bien sûr, répondit-elle avec un sourire supérieur. Je pense même que je pourrais t'arranger une rencontre avec elle… si tu apprends à manipuler correctement la poussière magique, évidemment.

— Mais toi aussi, tu dois apprendre, et tu ne te débrouilles pas toujours si bien que ça en cours, n'est-ce pas, Trompe de Moustique ? rétorqua Fizz, une lueur maligne dans les yeux. Si j'étais toi, j'éviterais de fanfaronner à l'avance… de peur d'avoir l'air vraiment stupide, coincée sur mon banc pendant que les autres danseront.

Le visage de Mariella se décomposa. Mais l'arrivée de Mlle Feufollet l'empêcha de riposter.

— Bonjour, les filles, vous êtes bien en avance, dites-moi !

Elle ouvrit la porte de la salle de classe et y pénétra en voletant. Mariella lança un regard furieux à Fizz et partit s'asseoir à l'arrière de la branche en compagnie de Lola.

Twini se percha sur l'un des tabourets-champignons. Les yeux brillants, elle observait Mlle Feufollet, bien déterminée à enregistrer le moindre mot prononcé par le professeur.

Cette dernière promena un regard moqueur sur la classe.

– Ciel, en voilà des élèves impatientes ! Je suis certaine de ne jamais vous avoir vues aussi attentives.

Elle replia ses fines ailes blanches dans son dos.

– Bien, vous allez prendre quelques notes.

L'enthousiasme de Twini retomba. Des notes ?

– Mais, mademoiselle, nous sommes censées apprendre à utiliser la poussière magique, s'écria Sili. Mlle Tincelle nous a dit…

Elle s'interrompit en voyant le professeur pouffer. La classe la fixa, abasourdie. Mlle Feufollet en train de rire ?

– Dans ce cas, nous ferions peut-être mieux d'examiner ceci, reprit-elle.

Elle défit le cadenas du placard en bois qui se trouvait derrière son bureau.

Twini tendit le cou pour voir leur professeur sortir un grand sac en feuille de chêne et le poser sur son estrade-champignon. La poussière magique ! Elle retint son souffle tandis que Mlle Feufollet en prélevait une pleine poignée. Elle fit tournoyer sa main et des reflets rose et or se mirent à chatoyer dans toute la branche.

— Nous, les fées, avons le pouvoir de faire de la magie de bien des manières, annonça Mlle Feufollet. Par le chant, par la danse, et même par la pensée. La poussière magique est le moyen de transformer les choses… et c'est aussi la plus difficile des magies.

Soudainement, Mlle Feufollet jeta la poussière sur un stylo à bave d'escargot qui se trouvait sur son bureau. Dans un éclair doré, le stylo se transforma en un véritable escargot qui, perplexe, remua ses cornes. Les élèves, émerveillées, en restèrent bouche bée.

Mlle Feufollet lui tapota la coquille.

— Le pouvoir de transformer les choses

entraîne de grandes responsabilités. Imaginez-vous le chaos que provoquerait une fée utilisant la poussière magique imprudemment ? Ou pour jouer un tour stupide ?

Elle les dévisagea avec sévérité.

Twini aperçut Fizz qui se redressait sur son siège, l'air innocent. Elle aurait parié que cette dernière était déjà en train de préparer une nouvelle farce.

– C'est la raison pour laquelle nous prenons tant de temps à vous expliquer la théorie de la poussière magique avant de vous permettre de la manipuler, poursuivit le professeur. Elle ne doit être utilisée que pour de bonnes raisons, et avec une honnêteté scrupuleuse.

Elle jeta le reste de la poussière magique sur l'animal sous les yeux ébahis des élèves. Un autre éclair lumineux envahit la branche : l'escargot redevint stylo.

Mlle Feufollet sourit.

– Ça paraît facile, n'est-ce pas ? Cependant, pour utiliser la poussière magique, il existe un secret. Je ne peux pas vous le révéler ; chaque fée doit le trouver par elle-même. Si vous n'y parvenez pas, vous ne serez pas capables de vous en servir.

Un secret ? Twini fronça les sourcils. Bimi, assise sur le champignon voisin, semblait plus inquiète que jamais.

– Pix, s'il te plaît, distribue des pétales de rose.

Mlle Feufollet lui tendit une liasse de couleur vive. Pendant que Pix voltigeait dans la classe en distribuant un pétale à chaque fée, Mlle Feufollet remplit de poussière magique de petites boîtes d'écorce.

– Voici votre poussière magique, dit-elle en les faisant passer. Vous ne devez jamais en emporter en dehors de cette branche sans ma permission.

Twini effleura sa boîte et retira immédiatement ses doigts, stupéfaite. La poussière magique paraissait vivante !

Mlle Feufollet retourna à son estrade.

– Bon, commençons le cours. Notre pre-

Poussière magique

mière tâche consistera à changer ce pétale de rose en bottine de fée.

Twini, sceptique, regarda le pétale rose que Pix avait déposé sur son bureau. Une bottine de fée ? Cela paraissait affreusement difficile pour un premier sortilège. Mlle Feufollet prit une poignée de poussière magique scintillante qu'elle fit couler entre ses doigts.

– La poussière magique fait partie de ce que l'on appelle la magie d'intention. Vous devez avoir de bonnes intentions avant que sa magie n'opère. Si ce n'est pas le cas, les choses peuvent tourner au cauchemar.

Elle fit une pause afin de scruter les élèves avec attention. Twini avait une grosse boule dans la gorge. Elle qui avait tant attendu ce moment, elle n'était plus du tout sûre d'elle. La poussière magique se révélait plus dangereuse qu'elle n'aurait cru. Qu'arriverait-il si ses intentions n'étaient pas bonnes ?

— Maintenant, ouvrez vos boîtes et prenez une pincée de poussière magique, ordonna Mlle Feufollet.

Le cœur battant la chamade, Twini souleva le couvercle de sa boîte et y plongea la main.

— Oh ! souffla-t-elle.

La poussière rose et or pétillait au creux de sa paume. Elle n'avait jamais rien vu d'aussi beau.

Mlle Feufollet leur montra comment procéder.

— Formez une coupe avec votre main, les doigts presque joints. Souvenez-vous, vous devez diriger la poussière magique vers l'objet et ne pas la semer à tous les vents.

Elle voleta à travers la pièce, afin de corriger la position de chacune.

– Non, non, Pix, tu as les doigts trop raides ; détends-toi. C'est mieux. Mariella, il faut que tu plies le coude, sinon, tu enverras ta poussière droit dans le visage de Lola.

La classe ricana et Mariella se rembrunit.

Twini laissa échapper un soupir de soulagement quand Mlle Feufollet approuva sa position d'un hochement de tête.

– Très joli, Twini. Toi aussi, Bimi. Serre un peu plus les doigts. Bon, maintenant, continua-t-elle en retournant à l'avant de la branche, lorsque vous jetez la poussière, vous devez agiter vos doigts vers l'extérieur.

Elle fit une démonstration.

– Vous voyez ? Secouez ! Tout le monde est prêt ?

Twini et les autres approuvèrent. Elle avait l'impression qu'un millier de puces angoissées sautaient dans son estomac.

Mlle Feufollet sourit.

– Certains de vos sorts fonctionneront instantanément, d'autres non. Cela s'explique
par le secret de la poussière magique, dont
je vous ai parlé. Bien, maintenant, concen-
trez-vous sur ce que vous voulez faire. Pen-
sez à toutes les raisons qui vous motivent.
C'est extrêmement important.

Twini ferma bien les yeux en saisissant la
poussière magique. « Je veux transformer le
pétale en bottine de fée ! pensa-t-elle. Je
veux apprendre à manipuler la poussière
magique afin de participer à la cérémonie
du printemps ! »

– Prêtes ? LANCEZ !

Twini ouvrit les yeux et jeta la poussière
sur le pétale. Elle scintilla dans les airs avec
un tintement cristallin. Elle reprit son
souffle. « Oh, pourvu que la magie opère ! »

La poussière magique chatoya sur le
pétale rose… puis s'évanouit. Rien ne
s'était produit. Twini se mordit la lèvre, se
demandant quelle erreur elle avait faite.

« Bon, c'était idiot de croire que ça marche-rait du premier coup », songea-t-elle.

Elle jeta un regard du côté de Bimi, prête à échanger un sourire contrit, et resta ébahie. Une bottine de fée, parfaite en tous points, trônait sur le bureau de son amie ! Celle-ci la fixait de ses grands yeux incrédules.

– Bimi, tu as réussi ! s'exclama Twini en la serrant contre elle. Que tu es futée !

– Mais… mais… Je ne sais même pas comment j'ai fait !

Mlle Feufollet s'approcha, rayonnante.

– Bon travail ! jugea-t-elle. Regardez, les filles, Bimi y est arrivée !

Les fées l'entourèrent pour la féliciter avec enthousiasme.

– Ah, bien joué ! dit Pix. Je n'ai pas réussi à produire quoi que ce soit.

– Mais, je n'ai rien fait du tout !

Les joues de Bimi s'empourprèrent.

– Honnêtement, mademoiselle Feufollet, je ne sais pas comment j'ai procédé. Je ne pourrais probablement pas recommencer.

Le professeur sourit.

– Nous allons essayer, tu veux bien ? Twini, passe-moi ton pétale. Maintenant, allons-y. Bimi, montre-nous.

Le professeur plaça le pétale sur le bureau.

Bimi était écarlate. Twini éprouva un élan de compassion. Elle savait combien son amie détestait attirer l'attention.

Alors que tous les yeux étaient rivés sur elle, Bimi prit sa boîte en écorce et y préleva une autre pincée de poussière magique. Elle se concentra un instant, puis la jeta sur le pétale. Dans un chatoiement lumineux, il se transforma en bottine rose. Les fées de la branche des Jonquilles l'applaudirent. Twini battait des mains plus fort que toutes les autres… mais en même temps, elle ne pouvait s'empêcher de ressentir un pincement de jalousie. Bimi avait réussi à transformer son pétale avec une telle facilité…

– Oh, c'est brillantastique ! murmura Sili dans un souffle, en prenant la bottine.

Regardez, elle a même un petit grelot sur le doigt de pied !

Mlle Feufollet tapota l'épaule de Bimi.

– Je pense que tu n'as pas à t'en faire, Bimi. Tu connais le secret, tout au fond de toi… cela fait simplement partie de ce que tu es.

Elle jeta un regard circulaire sur la salle.

– Bimi est-elle la seule à l'avoir trouvé ?

– Non, répondit une voix boudeuse, Lola aussi.

Twini, stupéfaite, se retourna en même temps que le reste de la classe et vit Mariella lancer un regard noir vers le bureau-champignon de son amie. Une bottine de fée vernie rouge trônait devant une Lola toute rose de fierté.

Fizz éclata de rire.

– C'est étinsorcelant, Lola ! Il faudra que tu apprennes à Mariella comment faire, pour qu'elle puisse impressionner la reine.

D'un regard, Mlle Feufollet fit cesser les ricanements.

– Très bien, Lola, dit-elle en examinant la

bottine rouge. Je dirais même que c'est un travail parfait. Je suis fière de vous, les filles !

— Merci, mademoiselle.

Lola, les yeux brillants, sourit timidement au professeur. À côté d'elle, fulminante, Mariella ressemblait à un volcan au bord de l'éruption.

Twini se détourna rapidement en se mordant les lèvres pour ne pas rire. Lola y était arrivée et pas Mariella !

Mlle Feufollet regarda le soleil par la fenêtre.

— Le cours est presque terminé, déclarat-elle. Je vous demanderai de remettre la poussière que vous n'avez pas utilisée dans votre boîte et d'écrire votre nom dessus.

Elle claqua des ailes et jeta à Mariella un regard perçant.

— Je sais que vous avez toutes très envie d'apprendre, mais rien ne sert de demander à Bimi ou à Lola comment elles ont procédé. Vous devez trouver le secret par vous-mêmes, sinon la magie n'opérera pas !

Chapitre trois

Twini était assise, pelotonnée sur le rebord d'une fenêtre de la branche commune, laissant vagabonder son regard dehors. Loin au-dessous, entre les branches dénudées par l'hiver, elle apercevait juste la mare gelée avec la colonne de glace étincelante dressée en son centre.

Elle soupira et posa son menton dans sa paume. Il s'était passé des semaines depuis que Mlle Feufollet leur avait permis d'utiliser la poussière magique pour la première fois, et elle n'avait toujours pas le coup de main. Ses pétales restaient pétales, quels que soient ses efforts.

Et pour couronner le tout, plus de la moitié des premières années maîtrisaient déjà le secret et, chaque jour, une nouvelle fée y parvenait. Dans la branche des Jonquilles, Sili et Zena y étaient arrivées. Twini était terrifiée à l'idée que ses compagnes réussissent, une à une, et qu'elle reste la dernière à ne rien comprendre à ce fichu secret.

Comment pourrait-elle supporter de ne pas faire partie de celles qui danseraient, lors de la visite de la reine Mab ? Elle n'aurait pas deux fois dans sa vie la chance de changer l'hiver en printemps !

Tout à coup, une fée de quatrième année aux cheveux violets voltigea devant la fenêtre.

– Six cent deux, six cent trois…

Sa voix faiblit tandis qu'elle s'éloignait. Une autre quatrième année la suivait, prenant des notes dans son carnet de pétales.

Twini ouvrit la fenêtre et se pencha à l'extérieur.

– Qu'est-ce que vous faites ? cria-t-elle.

– Nous comptons les brindilles sur les branches, afin de fabriquer le bon nombre de décorations pour la venue de la reine Mab, lui répondit la fée. Il en faut une par brindille.

Twini se sentit ragaillardie. Des ornements en glace, ça paraissait étinsorcelant !

– Est-ce que les premières années peuvent vous aider ? demanda-t-elle avec empressement.

– Bien sûr, répliqua la fée. Du moment que tu sais manipuler la poussière magique, pas de problème !

Et elle s'éloigna. Twini claqua la fenêtre en bougonnant. Encore cette maudite poussière magique ! Dire qu'elle était si enthousiaste auparavant… Maintenant, elle redoutait même d'aller au cours de Mlle Feufollet.

Twini jeta un coup d'œil dans la branche commune. Pix était assise à l'un des bureaux-champignons, les ailes pendantes, penchée sur une pile d'épais volumes de pétales.

La Poussière magique à travers les âges,
Une brève histoire de la poussière magique,
Les Sortilèges par la poussière magique.
Elle poussa un soupir et tourna une page.

Twini prit une mine compatissante. Pix non plus n'avait pas réussi à percer le secret. Elle qui était habituée à avoir les meilleures notes, qui connaissait toujours toutes les réponses… ça la rendait folle ! Mais, visiblement, le secret de la poussière magique n'avait rien à voir avec l'intelligence.

– Salut, Twini, lança Bimi en se glissant à côté d'elle.

– Salut.

Twini poussa ses jambes pour lui faire de la place.

L'inquiétude se lisait dans les yeux bleus de Bimi.

– Oh, Twini, ne t'en fais pas ! Tu vas bientôt y arriver, j'en suis persuadée.

– Mais peut-être pas à temps pour la cérémonie. C'est dans deux semaines seulement.

Twini ramena ses genoux sous son menton et, de nouveau, regarda fixement au-dehors. Son amie essayait de l'aider, mais elle n'avait pas envie qu'on lui remonte le moral.

– Je parie que tu seras prête, ajouta Bimi. On dansera ensemble, tu verras !

– Qu'est-ce que tu en sais ? objecta-t-elle, agacée. Je n'ai pas un don naturel pour manier la poussière magique, comme toi.

– Je préférerais ne pas posséder ce talent, avoua Bimi, les ailes palpitantes d'émotion.

C'est terrible de savoir utiliser la poussière magique alors que, toi, tu n'y parviens pas.

— Enfin, Bimi, ne sois pas bête, reprit Twini plus calmement. Tu vas transformer l'hiver en printemps, en présence de la reine et...

Les épaules de Bimi s'affaissèrent.

— Oui, mais ça ne sera pas drôle sans toi. Comment pourrais-je en profiter sachant que tu es toute triste dans ton coin ?

Twini regretta d'avoir été si désagréable. Elle frotta ses ailes contre celles de Bimi.

— Mais non, je ne serai pas triste, je me réjouirai que tu puisses participer à cette fête, protesta-t-elle.

— Vraiment ? demanda Bimi. Tu ne m'en voudras pas ?

— Bien sûr que non ! la rassura Twini. Et qui sait, peut-être que je découvrirai le secret à temps, après tout.

Cependant, au fond de son cœur, elle était au désespoir. Comment pouvait-elle découvrir ce secret, alors qu'elle ne savait même pas ce qui clochait ?

– J'aimerais tellement t'aider, dit doucement Bimi qui, comme toujours, avait deviné
ses pensées. Mlle Feufollet nous a recommandé de ne rien dire, d'accord, mais si je
savais comment j'ai fait, je pourrais au moins
t'aiguiller.

– Mmm…, murmura Twini en s'adossant
contre la fenêtre.

Il commençait à faire nuit dehors et la
vitre lui glaça les ailes.

– Je dois percer ce secret par moi-même,
conclut-elle.

Fizz qui, anxieuse, arpentait depuis une
demi-heure la branche commune, les rejoi-
gnit en demandant :

– Et on peut savoir de quoi vous parlez ?

Elle tendit le bras avant qu'elles n'aient
pu répondre.

– Non, attendez, laissez-moi deviner ! De
la poussière magique !

Twini se mit à rire malgré elle.

– Oui, admit-elle. Et alors ? Ça t'ennuie ?

Fizz leva les yeux au ciel.

– La poussière magique, la poussière magique… tout le monde n'a que ce mot-là à la bouche maintenant !

Bimi haussa les épaules.

– Tout le monde voudrait danser à la cérémonie, c'est tout.

Fizz souffla sur sa frange.

– Moi aussi, mais pas s'il faut que je m'entraîne jusqu'à ce que mes ailes en tombent. J'en ai assez d'essayer de percer ce secret.

Elle posa ses poings sur ses hanches et promena autour d'elle un regard maussade.

– Toutes les Jonquilles sont tellement sérieuses… c'est sinistre. Il faut faire quelque chose pour mettre un peu d'ambiance dans cette branche !

Twini sourit. Même si Bimi ne l'appréciait guère, Fizz savait lui remonter le moral.

– Mettre un peu d'ambiance ? Comment ?

Un éclair de malice passa dans les yeux de Fizz.

– Il y a une éternité que nous n'avons pas fait de farce, vous ne trouvez pas ?

Bimi pinça les lèvres.

– Une farce ? Alors que la reine Mab vient bientôt ?

Les ailes de Fizz chatoyèrent alors qu'elle s'éloignait en riant.

– Ne t'inquiète pas, je ne vous entraînerai pas là-dedans ! cria-t-elle par-dessus son épaule. Mais il faut absolument faire quelque chose !

Twini et Bimi se regardèrent, perplexes.

– Qu'est-ce qu'elle mijote, à ton avis ?

Twini haussa les épaules.

– Qui sait ! Mais, connaissant Fizz, ça promet d'être amusant.

Fizz descendit en spirale dans le tronc. Elle scruta les alentours pour vérifier qu'aucun des responsables des élèves ne s'y trouvait, puis plongea en piqué, les cheveux flottant au vent. Brillantastique ! Elle adorait voler très vite, même si c'était interdit à l'intérieur de l'école.

Un petit saut périlleux et elle s'engagea

dans une branche sur sa gauche. Elle atterrit devant une porte rouge, l'ouvrit subrepticement et se faufila à l'intérieur. La branche commune des quatrièmes années était tout en longueur et assez accueillante, avec ses champignons brillants et ses canapés de mousse douillets.

– Winn est dans le coin ?

Quelques élèves levèrent la tête.

– Les premières années n'ont pas le droit d'entrer, répliqua une fée aux cheveux jaune d'or. Qu'est-ce que tu crois, qu'on peut faire irruption ici comme ça ?

Fizz sourit, pas intimidée pour un sou.

– Je cherche ma sœur, c'est tout !

Elle voleta vers le plafond.

– Winn ! cria-t-elle en l'apercevant à l'autre bout de la branche. Il faut que je te parle !

La fée aux cheveux jaunes la saisit par le bras.

– Dehors ! Vous, les premières années, vous êtes vraiment culottées. De mon temps, on avait du respect pour les fées plus âgées.

Fizz commença à riposter, puis elle se ravisa. Les quatrièmes années pouvaient donner des heures de colle à des fées plus jeunes, si cela se révélait nécessaire… et cela ne s'accorderait pas du tout avec ses plans.

– Excuse-moi, dit-elle gaiement.

Winn arriva en voltigeant.

– Fizz, petite tête de guêpe ! Tu te rends compte de ce que tu fais ?

– Tu as intérêt à lui apprendre les bonnes manières, lui conseilla la fée aux cheveux jaunes.

Elle poussa Fizz vers sa sœur.

Celle-ci leva les yeux au ciel.

– Oh, j'ai bien essayé, mais elle est impossible ! Viens, Fizz, allons dehors.

Winn ressemblait beaucoup à sa sœur : mêmes cheveux mauves et mêmes ailes roses. Habituellement, elles partageaient également la même expression joviale mais, à ce moment précis, Winn paraissait prodigieusement agacée.

Les deux sœurs sortirent de la branche et planèrent dans le tronc.

– Bon, qu'est-ce qu'il y a encore ? demanda Winn. J'espère que tu as une bonne raison pour débarquer comme ça dans notre branche commune !

– Évidemment, affirma Fizz.

À grands traits, elle exposa ce qu'elle avait en tête. Winn ne put s'empêcher de sourire.

– Quelle canaille ! Cependant, je pense que tu as vu juste : la plupart des premières années doivent être complètement démoralisées à l'idée de ne pas participer à la cérémonie. Une bonne farce sera la bienvenue.

Fizz approuva avec enthousiasme.

– En plus, on n'a pas taquiné Mme Pied-léger depuis une éternité ! Alors, tu veux bien m'aider ?

Winn hésitait. Tout le monde était tellement préoccupé ces derniers temps, avec la visite imminente de la reine Mab ! Ce n'était peut-être pas une bonne idée, finalement.

– Je t'en prie, supplia Fizz. Imagine un peu la tête de la prof !

Une lueur espiègle brilla dans les yeux de Winn. Elle ne pouvait pas résister à l'envie de jouer un tour à Mme Piedléger.

– D'accord, décida-t-elle. Rendez-vous demain matin à la porte d'entrée, tout de suite après le petit déjeuner. Ça te laisse un peu de temps pour régler les derniers détails avant ton cours de danse.

– Hourra !

Fizz se jeta à son cou et l'étreignit de toutes ses forces.

– Tu es la sœur la plus brillantastique du monde !

Winn la repoussa en riant.

– Oui, oui, je sais ! File au lit à présent, avant que Mme Volauvent ne te trouve ici.

Twini, juchée sur son lit de mousse, polissait soigneusement ses ailes. Prenant une minuscule bouteille, elle versa au creux de sa paume quelques gouttes de lait de pissenlit, qu'elle étala d'un bout à l'autre de leur surface. Ensuite, à l'aide d'un pétale de rose, elle les astiqua afin qu'elles brillent comme des pierres précieuses.

Assise sur le lit voisin, Bimi était occupée à passer une brosse-chardon dans ses longs cheveux bleus. Toutes les autres petites Jonquilles se préparaient également à aller au lit mais, étrangement, la branche était très calme, et l'on n'entendait pas les rires et les bavardages habituels. Twini soupira.

Préoccupées par la poussière magique, ses camarades n'avaient pas le cœur à rire.

Et où était Fizz ? Twini regarda anxieusement le lit vide de son amie. Mme Polochon, la surveillante du dortoir, allait bientôt arriver !

Juste à ce moment-là, Fizz pénétra dans la branche en fredonnant gaiement.

— Salut, la compagnie, lança-t-elle.

Elle fit un saut périlleux en l'air et atterrit avec une pirouette au centre de la pièce. Les jonquilles qui surplombaient chaque lit furent secouées par le courant d'air.

— Pourquoi es-tu de si bonne humeur ? demanda Sili.

Fizz lui adressa un clin d'œil.

— Oh, rien, rien.

Puis, continuant à chantonner, elle se mit à danser sur son lit et commença à se déshabiller.

— Toi, tu manigances quelque chose, devina Pix, méfiante.

Elle paraissait épuisée et contrariée. Cela

faisait des semaines qu'elle essayait en vain de percer le mystère de la poussière magique, et son humeur s'en ressentait.

– Moi ? répondit Fizz en ouvrant de grands yeux innocents. Jamais ! Vite, Mme Polochon va bientôt arriver. Regarde tes ailes, elles ne sont pas encore polies !

Pix poussa un soupir d'irritation et lui tourna le dos.

– Très bien, c'est ton problème après tout.

Les fées reprirent leurs préparatifs et le silence retomba dans la branche. On n'entendait que Fizz, qui gazouillait comme un rossignol. Twini et Bimi se regardèrent.

– Elle prépare un mauvais coup, chuchota Bimi.

Twini, le cœur battant, hocha la tête.

– Sûrement une de ses célèbres farces !

Bimi posa sa brosse.

– Je ne suis pas certaine que le moment soit bien choisi. Alors que la reine va bientôt arriver !

D'un côté, Twini était d'accord avec elle…

mais en même temps, elle avait hâte de voir ce que Fizz mijotait.

– Je sais, souffla-t-elle, mais on ne peut pas l'arrêter, alors autant en profiter.

Bimi s'allongea dans son lit.

– Quoi qu'il en soit, on dirait bien qu'elle n'est pas la seule à comploter. Regarde Mariella !

Twini jeta un coup d'œil vers leurs anciens lits et remarqua que Mariella et Lola les avaient rapprochés des fenêtres, de manière à s'isoler légèrement du reste de la branche. La fée au nez pointu chuchotait quelque chose à l'oreille de son amie. Celle-ci était assise sur son lit, le dos rond, fixant le sol.

Twini serra les lèvres.

– Elle est en train d'essayer d'extorquer à Lola le secret de la poussière magique !

Bimi acquiesça, mal à l'aise.

– Ça fait des semaines que ça dure… mais je ne pense pas que Lola le lui ait dit. Finalement, elle est moins sotte qu'on ne le pensait.

Tout à coup, une bottine de fée traversa la pièce et Mariella la prit en pleine figure.

– Oh ! cria-t-elle en sursautant. Qui a fait ça ?

– C'est moi ! répondit Pix, les mains sur les hanches. Laisse-la un peu tranquille, tu veux ? C'est bien fait pour toi si tu n'arrives pas à trouver toute seule le secret de la poussière magique !

Mariella devint rouge coquelicot.

– Mais je ne lui ai rien demandé. Dis-leur, Lola !

Cette dernière tremblait comme un papillon de nuit apeuré.

– Oh… euh… non, non, balbutia-t-elle. On était juste en train de discuter.

– Tu peux toujours parler, Pix ! reprit Mariella en rejetant en arrière ses longs cheveux gris-vert. Tu n'es pas si douée que ça, finalement ! Tes livres ne t'ont sans doute pas aidée à percer le mystère !

– Tu sais très bien que la solution ne se trouve pas dans les livres, intervint Zena.

Elle avait réussi à manier la poussière magique environ une semaine après Bimi.

– C'est bien plus subtil que ça… et, Mariella, je peux te dire que, même au bout d'un million d'années, tu n'y arriveras jamais.

Les petites Jonquilles la dévisagèrent, interdites. Zena, d'habitude si calme et si sereine ! Voilà qu'elle était écarlate, ses ailes orange tremblantes de colère.

Mariella pâlit.

– Comment oses-tu ? Pourquoi…

— Les filles ! Qu'est-ce qui se passe ?

Le dortoir s'assagit instantanément en entendant arriver Mme Polochon, tout essoufflée d'être montée jusqu'à la branche des Jonquilles.

— Vous vous chamaillez comme des bébés fées ! Vous devriez avoir honte. Allez, maintenant, au lit. Et je ne veux plus entendre un seul mot. Extinction des lucioles !

Twini tira son duvet en pétale sur ses oreilles pointues. Elle espérait que la plaisanterie de Fizz allégerait un peu l'atmosphère, sinon elles risquaient d'en venir aux mains !

Le lendemain matin, après le petit déjeuner, Fizz rasa discrètement l'herbe gelée, en serrant contre elle le paquet enveloppé d'un pétale que venait de lui remettre Winn. Il faisait gris et froid, mais elle avait du soleil dans le cœur. Oh, elles allaient vraiment bien s'amuser !

Mais lorsqu'elle atteignit le cercle magique

où se tenait habituellement leur cours de danse, elle trouva un mot sur une feuille de chêne :

Le cours de ce matin aura lieu près de la mare. Merci d'être ponctuelles.

Mme Piedléger

Près de la mare ? Fizz pensa à la colonne de glace et hésita. Les gobelins d'eau étaient des êtres si grognons et si secrets ! Ils n'apprécieraient sûrement pas qu'on plaisante près de leur précieuse colonne ! Peut-être valait-il mieux attendre ?

Puis elle poussa un soupir agacé. Oh non, elle devenait aussi bête que les autres ! Cette colonne n'était qu'un simple pilier de glace sculptée, après tout. Elle ne voyait pas pourquoi cela les empêcherait de rire un peu.

À tire-d'aile, Fizz repartit d'où elle venait, dépassa le grand chêne puis survola la petite colline et arriva à la mare. La colonne de glace s'élevait en son centre, avec ses longs rubans de givre qui tintaient dans la brise. Fizz se posa au bord de l'eau et défit rapidement son paquet. Il y avait à l'intérieur un unique flocon de neige, à peu près grand comme sa main, qui avait été ensorcelé de manière à ne pas fondre. Elle le leva dans les airs pour admirer cette délicate dentelle blanche, puis l'installa délicatement sur un caillou.

Son plan était très simple. Le flocon attendrait sur son caillou jusqu'au début du cours. Ensuite, quand Fizz chuchoterait la formule magique, il serait emporté par le vent et viendrait se poser au bout du nez de Mme Piedléger… et c'est précisément là qu'il resterait, quoi qu'elle essaie de faire !

Fizz pouffa en imaginant la tête du professeur. Ça promettait d'être étinsorcelant !

Mais, quelle était la formule magique, au fait ? Oh, plume ! Elle ne l'avait tout de même pas déjà oubliée, non ? Elle fronça les sourcils, essayant désespérément de s'en souvenir.

Flocon de neige, monte en flèche,
Flocon de neige, écoute mon sortilège...
Flocon de neige, son nez prends au piège.

Non, ce n'était pas ça. Elle recommença :

Flocon de neige, monte en flèche,
Flocon de neige, mon doux sortilège,
Flocon de neige, sur son nez, tu sièges.

Soudain, sur son caillou, le flocon de neige frémit. Plongée dans ses pensées, Fizz poursuivit :

Flocon de neige si léger,
Flocon de neige, vole, vole,
Et va te poser sur un joli nez.

Le flocon décolla brusquement et frôla l'oreille de Fizz. Elle sursauta, réalisant avec effroi ce qu'elle venait de faire. Comment avait-elle pu être aussi stupide ?

Le flocon de neige tournoyait autour de la

mare, comme une mouche désorientée, de plus en plus vite.

– Non, cria Fizz en agitant les bras. Ce n'est pas encore le moment !

Mais le flocon l'ignora. Il volait en cercles de plus en plus serrés autour de la colonne de glace, rasant dangereusement ses sculptures. Fizz poussa un petit cri aigu et décolla.

– Non, reviens !

Elle se lança à sa poursuite, essayant de le rattraper.

– Oh, arrête-toi ! cria-t-elle, au bord des larmes.

Mais, vif comme une libellule, le flocon monta en flèche vers le sommet de la colonne, tournoya et *paf* ! se cogna dedans.

Le bec d'un rouge-gorge sculpté se cassa tout net et atterrit sur la glace avec un tintement cristallin.

Horrifiée, Fizz plaqua ses mains sur sa bouche.

– Oh, non, murmura-t-elle.

Lentement, elle s'approcha de la mare gelée et ramassa le bec. Il était dur et froid dans sa main.

Qu'allait-elle faire, maintenant ? Fizz leva la tête vers le haut de la colonne. Elle aperçut le rouge-gorge dépourvu de bec perché là-haut, l'air vraiment bête. Le flocon de neige, redevenu ordinaire, était retombé à terre, poussé par le vent.

Crac !

Fizz hurla lorsque la surface gelée de la mare se fendit, envoyant des éclats de glace dans toutes les directions. Une petite tête verte sortit du trou. Une paire d'yeux ronds, de la couleur de l'eau, fixait Fizz d'un air furieux.

– Que signifie tout ceci ? demanda le gobelin d'eau.

Fizz avala sa salive, cachant le bec dans son dos.

– Je… j'étais en train de préparer une farce. Je ne voulais pas…

– Une farce ! hurla la créature.

Ses yeux sortaient de leurs orbites comme ceux d'une grenouille en colère.

– Une farce qui a détruit notre colonne de glace ! De toute manière, les fées n'ont aucun respect ! C'est toujours la même chose avec vous ! On rigole, on s'amuse et on ne respecte pas les belles colonnes de glace !

– Non, s'écria Fizz. C'est-à-dire… je veux dire, la plupart des fées sont très respectueuses ! Je n'avais pas l'intention de casser cet oiseau, croyez-moi. Vous pouvez le réparer, non ?

Elle retint sa respiration.

Le gobelin d'eau renifla avec mépris.

— Oui, mais nous n'en ferons rien.

— Mais… il le faut, pourtant ! insista Fizz.
À la cérémonie… nous devons changer
l'hiver en printemps et…

— Tu n'as qu'à le réparer toi-même, petite
fée stupide… toi et personne d'autre ! Sinon,
nous retirerons la colonne de glace et adieu
votre belle cérémonie. Bah ! On aurait dû se
douter qu'il ne fallait pas faire confiance
aux fées !

À grand renfort d'éclaboussures, le gobelin replongea sous l'eau.

— Attendez ! cria Fizz, les ailes papillon-
nant d'affolement. Je ne sais pas comment le
réparer ! Il va se remettre en place tout seul
si je le repose là-haut ? Oh non, dites-moi ce
que je dois faire !

Mais personne ne répondit. Le trou se
referma rapidement, et la couche de glace
redevint parfaitement lisse. Prise d'une
panique soudaine, Fizz voltigea jusqu'au

sommet de la colonne et essaya de recoller le bec sur la tête du rouge-gorge. Il lui tomba des mains.

Fizz se lécha les doigts, humecta le bec à l'endroit où il s'était cassé et essaya de nouveau. « Oh, reine des fées, faites que ça fonctionne ! » marmonna-t-elle. Mais le bec refusa de rester en place.

– Fizz, mais qu'est-ce que tu fabriques ?

La jeune fée se retourna vivement. Twini et les autres volaient dans sa direction. C'était l'heure du cours ! Elle glissa le bec dans sa poche et alla se poser au bord de l'eau, en essayant de paraître décontractée.

Twini atterrit avec légèreté auprès d'elle, les yeux brillants.

– Tu prépares ta farce ? chuchota-t-elle.

Fizz tressaillit.

– Je… oui, enfin non, bafouilla-t-elle, les joues en feu. Oublie donc cette farce, Twini !

La petite fée était décontenancée.

– Mais je pensais que tu voulais nous faire

rire. Tout le monde est tellement de mauvaise humeur…

– Et alors, qu'est-ce que ça peut me faire ? explosa Fizz. Je ne suis pas amuseuse publique, quand même !

Et elle lui tourna le dos.

Mme Piedléger se posa majestueusement au milieu de ses élèves. Son abondante chevelure mauve était remontée en chignon, et le rouge de ses ailes ressortait dans le jour gris.

– Position de la fleur pour tout le monde, s'écria-t-elle.

Sa robe en toile d'araignée chatoyait lorsqu'elle agita ses bras.

– Vite, vite !

L'air renfrogné, Fizz fit la ronde avec les autres. Une fois que le cercle se fut formé, elles ouvrirent leurs ailes afin que leurs extrémités se touchent. De dessus, on aurait dit une fleur aux pétales multicolores.

Le professeur hocha la tête.

– Très joli. Maintenant, nous allons exécuter une danse de remerciement, pour les gobelins qui nous ont apporté la colonne de glace et, une fois que nous aurons terminé, je suis sûre qu'ils nous feront l'honneur d'apparaître en retour.

Fizz devint blanche comme un linge. Oh, non ! Ces vieux grincheux allaient sûrement dire à tout le monde ce qu'elle avait fait ! Raide comme un piquet, la tête complètement ailleurs, elle essaya de suivre les indications de Mme Piedléger.

– Maintenant, grand battement… Tournez, virez, sautillez ! Une, deux, trois… et, toutes ensemble, élevez-vous dans les airs ! Attention, gardez bien à l'esprit que vous voulez dire merci !

Le professeur planait au centre du cercle, agitant les bras au rythme de la danse.

Fizz sentit ses ailes devenir moites. Que pourrait-elle bien dire ? « Euh, merci pour la colonne de glace, pensa-t-elle timidement. C'était vraiment étinsorcelant, jusqu'à ce que j'abîme tout. » Oh, non…

– Maintenant, mes petites fées, atterrissez ! ordonna finalement Mme Piedléger.

Les fées se posèrent au sol. Le sourire aux lèvres, le professeur tendit l'oreille pour guetter ce qui se passait.

– Ça ne devrait pas tarder, chuchota-t-elle.

Fizz se mordilla le pouce. La surface glacée de la mare demeura immobile et silencieuse.

Mme Piedléger fronça ses sourcils violets.

– Comme c'est étrange !

Elle se redressa subitement et décréta :

– Nous allons refaire cette danse, avec compétence ! L'une d'entre vous ne pensait pas assez fort, elle a donc gâché le sort.

Cette fois, lorsqu'elles eurent terminé la danse, Mme Piedléger se mit à quatre pattes, l'oreille collée à la glace pour mieux entendre.

– Je suis pourtant persuadée que nous avons exécuté les figures correctement.

Perplexe, elle leva les yeux vers le sommet de la colonne de glace.

Fizz étouffa un petit cri. Elle allait voir que le bec du rouge-gorge était cassé !

– Excusez-moi, madame, peut-être que les gobelins d'eau sont simplement fatigués, bredouilla-t-elle.

Le professeur fixa sur elle ses yeux perçants.

– Fatigués ? Que veux-tu dire ?

Fizz avala sa salive.

– Je… je suis arrivée un peu avant le début du cours et j'en ai vu un. Il a dit qu'ils étaient fatigués de toute l'attention dont ils ont été l'objet depuis qu'ils ont fait apparaître la colonne. Ils ont juste envie d'être un peu seuls.

Elle remarqua que toutes les autres fées échangeaient des regards interrogateurs, se demandant sans doute si c'était une farce. Mme Piedléger claqua des ailes.

– Est-ce vrai, Fizz ?

– Oh, oui, oui ! affirma-t-elle.

Sentant le tranchant du bec cassé dans sa poche, elle se hâta d'ajouter :

– Sinon pourquoi ne seraient-ils pas apparus pendant que nous dansions ?

Le professeur hocha lentement la tête en signe d'approbation.

– Oui… oui, tu dois avoir raison. Bon, dans ce cas, nous allons simplement faire une danse de respect, en silence. Suivez-moi, petites fées.

Tandis que la classe imitait ses mouvements, Fizz laissa échapper un soupir. Elle s'en était tirée… du moins, pour le moment !

Mais que se passerait-il si elle ne parvenait pas à réparer le bec du rouge-gorge ? Fizz sentit sa gorge se serrer en se remémorant les paroles du gobelin. La cérémonie du printemps serait annulée… et tout ça à cause d'elle !

« Non ! pensa-t-elle, désespérée. Je le réparerai d'une manière ou d'une autre, il le faut ! »

Chapitre cinq

Twini se tenait dans la longue rangée des premières années, essayant de cacher son ennui, pendant que Mme Volauvent allait et venait devant elles, sous la lueur opaline du clair de lune.

– J'ai remarqué un certain relâchement dans vos figures ces derniers temps ! Ce n'est pas parce que nous sommes à quelques jours de la cérémonie du printemps que vous devez bâcler vos leçons de vol.

Le professeur s'arrêta, les fixant toutes d'un regard sévère.

Twini retint un soupir. Au début du trimestre, elle avait été ravie lorsqu'elle avait vu, dans l'emploi du temps, qu'elles allaient apprendre le vol de nuit… mais, en réalité, c'était exactement la même chose que les cours de vol habituels, sauf que ça se passait la nuit !

La robe en feuille de chêne de Mme Volauvent froufroutait dans la brise nocturne.

– En formation de vol, s'il vous plaît ! ordonna-t-elle. Nous allons faire quelques exercices.

Twini voleta pour prendre place entre Pix et Bimi, et jeta un regard à Fizz, qui faisait équipe avec Sili et Zena. Son amie gardait le nez baissé, ce qui ne correspondait pas du tout à sa nature exubérante.

Twini haussa les sourcils. Quel était le problème de Fizz ? Elle se comportait bizarrement ces derniers temps. Pas plus tard que la veille, elle l'avait surprise en train de dérober un peu de résine dans l'une des branches de réserves.

« Peut-être était-ce pour faire une farce »,

songea Twini, pleine d'espoir. Mais cela faisait plus d'une semaine que Fizz n'en parlait plus. Visiblement, c'était devenu le cadet de ses soucis.

– Vitesse maximale et, à mon signal, trois vrilles à gauche, puis une double boucle, annonça Mme Volauvent. Et si je surprends l'une d'entre vous à négliger la tenue de ses ailes, elle devra faire trente fois le tour du grand chêne !

Mariella rejeta ses cheveux en arrière.

– Je pourrais exécuter cette figure les yeux fermés, susurra-t-elle. Question vol, je suis très en avance.

Twini leva les yeux au ciel et lança un regard plein d'espoir à Fizz. Celle-ci adorait quand Mariella se vantait… cela lui donnait l'occasion de la remettre à sa place par un commentaire incisif !

Mais cette fois-ci, bizarrement, Fizz semblait ne rien avoir entendu. Elle planait à quelque distance de Sili et de Zena, observant la mare.

« Peut-être pense-t-elle à la cérémonie »,
songea Twini. Fizz n'avait pas encore percé
le mystère de la poussière magique. « Moi
non plus, d'ailleurs. » Elle soupira.

Elle ne pourrait sans doute pas danser à la
cérémonie. Dommage, car elle aurait réellement aimé rencontrer la reine Mab. Mais
cette dernière ne voudrait certainement pas
avoir affaire à une fée qui ne savait toujours
pas manier la poussière magique.

Twini plissa le front. Fizz n'était pourtant
pas du genre à se morfondre pour ce genre
de chose. Mais qu'est-ce qui pouvait donc
bien clocher ?

Mme Volauvent leva un bras, avant de
l'abaisser.

– Premier groupe, c'est à vous ! Un, deux,
trois… volez !

Quelques filles de la branche des Coque-
licots jaillirent dans la nuit, bien visibles
dans leurs robes rouges éclatantes.

Twini se pencha vers Bimi et Pix et chuchota :

— Vous n'avez rien remarqué de bizarre, récemment, au sujet de Fizz ?

— Bizarre ? Comment ça ? murmura Bimi.

Twini haussa les épaules, car elle ne savait pas précisément comment s'expliquer.

— Eh bien, elle ne paraît pas très heureuse.

Elle repensa à la résine, mais décida de ne pas leur en parler.

— Elle n'a probablement pas le moral parce

qu'elle n'a toujours pas réussi à utiliser la poussière magique, avança Pix.

Pour sa part, elle n'avait percé le mystère que quelques jours auparavant, à son grand soulagement. Après ça, l'air penaud, elle avait reconnu :

— Zena avait raison, vous savez… on ne peut pas trouver le secret dans les livres.

— Deuxième groupe, appela Mme Volau-vent.

Mariella et Lola s'éloignèrent en rasant l'herbe.

Twini secoua la tête.

— Non, je ne pense pas que ce soit à cause de ça. Fizz aimerait bien danser à la cérémo-nie, mais ce n'est pas capital à ses yeux. Je pense qu'il doit vraiment y avoir autre chose.

— Mais quoi ? demanda Bimi, surprise.

— Je ne sais pas, dit Twini. Mais…

— Attention ! crièrent plusieurs fées.

Twini se retourna. Mariella ne regardait pas où elle allait… et fonçait droit sur un grand papillon de nuit brun !

Boum ! Ils se rentrèrent dedans, créant un vrai méli-mélo d'ailes.

– Oh ! hurla Mariella en essayant de se dégager. Espèce de stupide... maladroit...

« Bon, pensa Twini, au moins, elle n'est pas blessée ! » Elle se retint de rire en la voyant vociférer et s'agiter en tous sens. Lola, impuissante, voletait autour d'eux, tirant alternativement sur l'un puis sur l'autre.

– Magnifique, murmura Pix. Juste après s'être vantée de ses exploits, en plus !

Mme Volauvent s'approcha, l'air furieux. D'un seul mouvement de la main, elle sépara la fée du papillon qu'elle envoya zigzaguer plus loin, complètement sonné.

– Oh, non mais vous avez vu cette bestiole idiote ! cria Mariella. Elle est venue s'écraser droit sur moi et...

Elle s'interrompit en remarquant l'expression du professeur.

– Quelle est la règle de bonne conduite

avec les papillons de nuit, Mariella ? la questionna-t-elle.

La petite fée pâlit.

– Euh… il faut passer à gauche, répondit-elle d'une voix faible.

– Passer à GAUCHE ! éclata Mme Volau-vent. Et non essayer de passer au travers du papillon.

Twini plaqua sa main sur sa bouche pour ne pas exploser de rire. Elle savait qu'elle ne devait pas se moquer, mais… oh, nom d'une guêpe, Mariella l'avait bien cherché !

– Oui, mais…, protesta-t-elle.

– Mais rien du tout ! rétorqua Mme Volau-vent. C'était le PIRE vol que j'aie jamais vu. Tu aurais pu blesser très gravement ce pauvre papillon !

– Le blesser ? éclata Mariella. Et moi, alors ?

– Tu n'as que ce que tu mérites, décréta le professeur. Tu vas me faire trente fois le tour du grand chêne… et sur-le-champ !

– Mais, ce n'est pas juste ! Il…

Mme Volauvent croisa les bras sur sa poitrine.

– Cinquante tours… ou bien en veux-tu encore davantage ?

Mariella se tut, fixant le bout de ses bottines. Le professeur indiqua le grand chêne du menton.

– Eh bien, qu'attends-tu pour y aller ?

La petite fée décolla en vrombissant, furieuse.

La mine réjouie, Twini se tourna vers ses amies. Les yeux bleus de Bimi scintillaient de malice, tandis que Pix était presque pliée en deux de rire. Le reste de la branche des Jonquilles était pratiquement dans le même état. Les autres premières années devaient trouver Mariella pénible pendant les leçons de vol, mais les petites Jonquilles, elles, devaient la supporter en permanence ! Pour une fois, c'était brillantastique de la voir ainsi récompensée !

Mme Volauvent secoua sa chevelure bleu ciel.

– Lola, rejoins le groupe suivant, s'il te plaît ! On continue maintenant, troisième groupe !

Twini aperçut Fizz et sa joie s'évanouit. Son amie ne souriait même pas. En croisant son regard, elle détourna de nouveau les yeux.

– Regardez, fit Twini en poussant ses amies du coude. Je vous disais bien que quelque chose n'allait pas. Fizz n'a même pas l'air contente que Mariella se soit fait punir.

Bimi et Pix observèrent Fizz.

– Mmm, acquiesça Bimi, je crois que tu as raison… on dirait vraiment que ça ne va pas.

Au dîner ce soir-là, Fizz s'assit au bout de la table des Jonquilles, à l'écart des autres. Twini la couvait d'un œil inquiet. Elle avait essayé de lui parler après le cours de vol, mais Fizz avait affirmé que tout allait bien. Maintenant, elle semblait plus morose que jamais, picorant sans appétit dans son assiette.

Tout à coup, Sili se pencha par-dessus la table et ses longs cheveux argentés frôlèrent le plat de gâteaux aux graines.

– Vous avez remarqué comme Fizz a l'air bizarre ? chuchota-t-elle.

– Tu as une idée de ce qui cloche ? demanda Bimi.

Sili secoua la tête.

– Zena et moi, nous n'arrivons pas à savoir… Elle agit comme si… comme si elle avait commis un crime abominable.

Bimi claqua des ailes avec impatience.

– Oh, ne dis pas de bêtises. Elle ne peut pas avoir fait ça !

– Mais visiblement quelque chose la tracasse, murmura Pix. Et comme elle refuse d'en parler, je me demande si on ne pourrait pas essayer de lui remonter un peu le moral, qu'en pensez-vous ?

– On pourrait faire un cabaret féerique ! proposa Sili, en sautant sur son champignon. On pourrait toutes chanter une chanson, ou bien danser, ou encore…

Twini secoua la tête. Fizz n'avait même pas souri lorsque Mariella s'était fait gronder, ce n'était pas quelques chansons qui allaient la distraire.

— Sili, je ne pense pas que cela marcherait.

— Mais de quoi parlez-vous ? voulut savoir Mariella qui les observait, les yeux plissés, depuis l'autre bout de la table.

Sili ricana en rejetant ses cheveux en arrière.

— De toi, justement ! Nous disions que tu devais être en pleine forme, après tous ces tours.

Mariella leur tourna le dos en levant son nez pointu en l'air. L'instant d'après, elle chuchotait à l'oreille de Lola, qui se tortillait d'un air embarrassé.

— Mais, Mariella, je ne peux pas ! se défendit-elle.

Twini secoua la tête, écœurée. Pourquoi Mariella n'essayait-elle pas de découvrir le secret de la poussière magique toute seule, comme les autres ?

Pix déposa un morceau de gâteau aux graines sur son assiette en feuille de chêne.

– À la bibliothèque, je pourrais peut-être trouver un livre qui nous aiderait à lui changer les idées. Ou bien on pourrait tenter un sortilège de Bonne Humeur avec une pâquerette… si on trouve tous les ingrédients dans le placard de la salle d'initiation au pouvoir des fleurs, bien entendu…

Bimi haussa les épaules.

– Il faut juste qu'on soit vraiment gentilles avec elle, affirma-t-elle. Comme ça, elle saura qu'elle peut nous confier ce qui ne va pas.

– Oh… d'accord, fit Pix sans conviction. On peut se contenter de faire ça, bien sûr.

Dans un bruissement d'ailes, les papillons de l'école descendirent en piqué dans la Grande Branche pour débarrasser les restes du repas. En se levant de table avec les autres fées de la branche des Jonquilles, Twini vit que Bimi rejoignait Fizz en voletant.

– Je t'ai gardé un peu de gâteau aux graines, annonça-t-elle gaiement. C'est celui que tu préfères, non ?

Twini était émue. Même si Bimi n'aimait pas tellement Fizz, elle faisait vraiment tout pour l'aider ! C'était simplement sa manière d'être.

Brusquement, Twini se figea, le souffle coupé. « Mais bien sûr ! pensa-t-elle. C'est ça ! »

Elle venait de découvrir le secret de la poussière magique !

Chapitre
six

Assise à son bureau-champignon, Twini
bouillait d'impatience : elle attendait que
Mlle Feufollet distribue les boîtes de poussière magique. Oh, mais pourquoi ne se
dépêchait-elle pas ?

Bimi haussa les sourcils.

– Ça ne va pas ? Tu as l'air… tout agitée.

Twini secoua la tête.

– Non, non, rien. J'ai seulement hâte que
le cours commence, c'est tout.

D'ordinaire, elle se confiait à elle mais,
après ces longues semaines passées à
essayer vainement de percer le secret de la
poussière magique, son assurance en avait

pris un coup. Si elle se trompait, elle préférait le garder pour elle.

Le professeur déposa la boîte de Twini sur son bureau et lui tendit un pétale de rose tout frais. La petite fée sentit un frisson d'excitation la parcourir. Allait-il bientôt devenir bottine ? Ou bien resterait-il pétale, comme d'habitude ?

– Pour celles d'entre vous qui savent manier la poussière magique, essayez la formule que j'ai écrite au tableau, indiqua Mlle Feufollet. Quant aux autres, poursuivez vos essais. Ne vous inquiétez pas, vous avez encore tout le temps.

Elle leur adressa un sourire encourageant, mais Twini n'était pas sûre qu'il soit sincère. En effet, on était à deux jours seulement de la cérémonie.

Lentement, Twini ouvrit sa boîte. Elle préleva une poignée de poussière magique chatoyante.

Près d'elle, Bimi lisait avec attention la formule magique inscrite au tableau, se préparant à transformer un caillou en cloporte. Pour faire de la magie plus perfectionnée avec la poussière, il fallait déchiffrer des formules… et certaines d'entre elles étaient aussi compliquées que du chinois.

Twini se retourna vers son pétale et prit une profonde inspiration. Il était temps de tester sa théorie. Elle devait chasser de son esprit toute motivation personnelle et égoïste… pour se concentrer sur la manière dont elle pouvait être utile aux autres grâce à la poussière magique.

Serrant le poing, elle ferma les yeux. « Je voudrais, s'il vous plaît, changer ce pétale en bottine de fée, afin que quelqu'un qui en aurait besoin puisse la porter… et aussi pour que je puisse faire venir le printemps qui égayera le monde entier. »

Elle répéta ces mots sans discontinuer, en y pensant de tout son cœur. Sentant un picotement au creux de sa main, elle ouvrit les yeux et lança la poussière magique sur le pétale.

Il y eut un éclair rose et doré, qui ne fit aucun bruit. Une bottine bordeaux se tenait sur son bureau, parfaite jusque dans ses moindres détails… et ornée d'une minuscule clochette à son extrémité !

– Oh, s'écria Twini, ça y est, j'ai réussi !

Bimi poussa un cri de joie et se mit à sautiller en la prenant par le bras.

– Bravo, Twini ! Oh, je suis tellement contente pour toi.

Son visage rayonnait de bonheur… encore plus que lorsqu'elle avait elle-même réussi à percer le secret !

– Hourra ! cria Sili, bondissant à travers la branche pour se jeter à son cou.

Pix sourit.

– Bien joué ! Je savais que tu y arriverais, Twini.

Mlle Feufollet, tout sourire, voltigea jusqu'à elle.

– Ah, bon travail, Twini.

Elle prit la bottine et la retourna pour l'examiner.

– Oui, c'est parfait ! Tu as trouvé, alors ?

Elle fixa Twini de ses yeux pétillants.

– Oui, je… je pense que oui, confirma la petite fée, le cœur débordant de joie.

Mlle Feufollet lui rendit la bottine et lui tapota l'épaule.

– Voilà, c'est ce qui se produit avec la poussière magique. Une fois que tu en connais le secret, il t'appartient pour toujours et fait de toi une fée meilleure. Tu as très bien travaillé.

Twini hocha la tête. Mlle Feufollet avait raison. Bien entendu, elle était heureuse de pouvoir participer à la cérémonie du printemps… mais, finalement, ce n'était pas aussi important que d'aider à transformer l'hiver en printemps. Et le plus drôle, c'est que le secret était tellement simple ! Pourquoi n'y avait-elle pas pensé plus tôt ?

– Excusez-moi, mademoiselle ! claironna une voix hautaine.

Mariella sourit d'un air suffisant alors que tout le monde se tourna vers elle.

– J'ai réussi, moi aussi !

Une bottine jaune trônait sur son bureau, tout aussi parfaite que celle de Twini.

Mlle Feufollet haussa les sourcils, surprise.

– Mariella ! Bravo !

Voltigeant à l'autre extrémité de la branche, elle prit la bottine dans ses mains… mais à peine l'eut-elle touchée qu'elle se disloqua. Consternée, Mariella regarda les pétales de bouton-d'or s'éparpiller par terre.

Mlle Feufollet secoua la tête avec sévérité.

– Mariella, tu n'as pas trouvé le secret toute seule, n'est-ce pas ?

Les joues de cette dernière s'empourprèrent.

– Bien sûr que si !

Mlle Feufollet se tourna vers Lola. La petite fée toute mince avala sa salive.

– Je… je lui ai seulement donné un indice, murmura-t-elle. C'est bien pour ça

que sont faits les amis, non ? Mariella a dit…

Elle laissa sa phrase en suspens et ses ailes pâles retombèrent misérablement.

Mlle Feufollet fronça les sourcils.

– Quand quelqu'un ne découvre pas le secret de la poussière magique par lui-même, on finit toujours par l'apprendre. Il faut que tu sois sincère, Mariella. Sans cela, tes sortilèges ne fonctionneront jamais.

La petite fée, écarlate, regarda le professeur s'éloigner. Twini et Bimi échangèrent un regard. Pour ce qui était de tricher, on pouvait faire confiance à Mariella. C'était bien fait pour elle si elle s'était fait prendre !

– Que se passe-t-il, Fizz ?

Mlle Feufollet venait de s'apercevoir qu'elle n'avait même pas ouvert sa boîte d'écorce.

–Tu n'as pas envie de danser à la cérémonie du printemps ?

– Si elle a lieu, répliqua Fizz d'une voix morose.

Le silence se fit dans la branche. Même Mlle Feufollet parut surprise.

– Que veux-tu dire ? Pourquoi n'aurait-elle pas lieu ?

Fizz se mordit la lèvre.

– Je... euh... je vais essayer de me concentrer davantage, mademoiselle.

Le professeur n'avait visiblement pas l'air convaincu. Mais avant qu'elle ait pu dire quoi que ce soit, le jacassement de la pie signalant la fin des cours retentit dans l'école.

– Eh bien, tout le monde peut refermer sa boîte et la faire passer à l'avant, dit le professeur. Et Fizz... promets-moi de bien travailler demain.

Twini rassembla vite ses affaires. Son amie paraissait tellement démoralisée. Que pouvait-elle donc avoir ?

– Je vais juste dire un mot à Fizz, chuchota-t-elle à Bimi.

Sa meilleure amie acquiesça.

– Vois si tu arrives à la faire parler, cette fois-ci.

Pendant que les fées de la branche des Jonquilles s'envolaient dans le tronc, Twini se dépêcha de rattraper Fizz. Ce qui n'était pas chose facile…

– Fizz, cria-t-elle en fonçant derrière elle. Attends-moi !

L'espace d'un instant, elle crut qu'elle n'allait pas s'arrêter. Mais finalement si, et, avec quelque réticence, elle attendit en voletant sur place que Twini la rejoigne.

– Fizz, qu'est-ce que tu as voulu dire, tout à l'heure, en parlant de la cérémonie ?

– Rien du tout, répondit-elle en détournant les yeux. Je racontais des bêtises.

– Pourtant, tu semblais tellement…

– Oh, mais laisse-moi tranquille, s'emporta Fizz. Tout va bien, d'accord ?

Twini serra les poings.

– Non, ça ne va pas, rétorqua-t-elle sèchement. Ça fait des semaines que tu te morfonds. Qu'est-ce qui te tracasse, Fizz ? Même quand j'ai enfin trouvé le secret de la poussière magique, tu n'as pas eu l'air enchanté.

– Parce que ça ne sert à rien, répliqua Fizz. De toute manière, personne ne dansera à la cérémonie…

Elle s'arrêta net, plaquant sa main sur ses lèvres.

Twini sentit ses ailes se glacer.

– Qu'est-ce que tu veux dire par là ?

– Je… je…

Fizz éclata soudain en sanglots.

– Oh, fiche-moi donc la paix, s'écria-t-elle en cachant son visage dans ses mains.

Twini la fixa, stupéfaite. Fizz en larmes ? Mais, ce n'était pas possible, Fizz ne pleurait jamais ! Elle attira son amie dans une branche déserte.

– Fizz, je t'en prie, dis-moi ce qui ne va pas, la supplia-t-elle alors qu'elles se posaient sur le sol de mousse. Je suis ton amie, je pourrais t'aider.

– C'est impossible. Je suis la seule à pouvoir arranger les choses, d'après ce qu'il m'a dit… mais je ne sais pas comment ! J'ai tout essayé, et rien ne marche…

– Fizz ! la coupa Twini en la secouant doucement. Mais de quoi parles-tu ?

Son amie déglutit et renifla. Elle mit la main dans sa poche et en sortit un petit objet.

– De ça…

Twini l'examina avec curiosité. Il était petit et pointu, comme deux triangles collés l'un à l'autre, et paraissait froid au toucher.

– Mais… qu'est-ce que c'est ?

– Un bec, grommela Fizz.

Twini cligna des yeux, perplexe.

– Un quoi ?

– Un bec, répéta Fizz en articulant mieux.

Elle s'essuya les yeux avant de poursuivre :

– Il appartient au rouge-gorge de la colonne de glace.

Twini en resta bouche bée.

– Tu veux dire que l'une des sculptures est abîmée ? bafouilla-t-elle.

Les lèvres de Fizz tremblèrent lorsqu'elle hocha la tête en signe d'approbation.

– Je voulais faire une farce à Mme Piedléger, tu vois, et…

Elle raconta son histoire à Twini et termina en disant :

– Et j'ai tout fait pour le réparer ! J'ai essayé de le coller avec de la résine, de faire une danse de réparation, avec un ruban… rien ne fonctionne, rien, et maintenant, les gobelins d'eau vont faire disparaître la colonne de glace.

Elle lui reprit le bec des mains, le fourra dans sa poche, les yeux brillants de larmes.

Twini avait écouté son récit avec un effroi croissant.

– Mais, ils ne peuvent pas nous enlever la colonne ! s'écria-t-elle. Comment feraient-ils ? Et nous, on ne pourrait plus transformer l'hiver en printemps !

Fizz, abattue, haussa les épaules.

– C'est bien le problème.

Une élève de troisième année, qui portait une décoration de glace étincelante, passa en voletant devant la fenêtre.

– Un peu plus bas ! Oui, c'est ça, c'est étin-sorcelant, comme ça ! Oh, c'est tellement joli !

– Mais…

La gorge de Twini s'assécha. Elles ne pourraient pas transformer l'hiver en prin-temps ? Donc les fleurs n'arriveraient pas à éclore ? Et que se passerait-il si le froid et la glace restaient pour toujours ?

– Fizz, il faut qu'on en parle à Mlle Tin-celle, murmura-t-elle.

– Non !

Paniquée, son amie lui agrippa le bras.

– Twini, ne fais pas ça… je t'en supplie ! La reine Mab doit arriver d'un jour à l'autre maintenant, et… et tout le monde est occupé à décorer l'école, tout le monde va savoir que c'est de ma faute !

De nouveau, elle était au bord des larmes.

Twini secoua la tête, impuissante.

– Oui, je sais, mais que veux-tu faire d'autre ? Tu as déjà tout essayé pour réparer ce bec, et…

Elle s'interrompit. Une idée venait de lui traverser l'esprit.

— Et quoi ? interrogea Fizz.

— Eh bien, il doit pourtant y avoir un moyen de le réparer. Le gobelin pourrait peut-être te donner un indice, si nous retournions là-bas pour le supplier.

Fizz écarquilla les yeux.

— Oh ! Tu crois qu'il voudrait bien ?

Puis ses épaules s'affaissèrent.

— Mais les gobelins ne veulent pas nous parler. Rappelle-toi la danse de remerciement de Mme Piedléger : ils l'ont tout bonnement ignorée !

Twini réfléchissait en tapant ses ailes l'une contre l'autre.

— Bon… peut-être Pix connaîtrait-elle un moyen de les inciter à nous parler, finit-elle par dire. Ça ne t'ennuie pas qu'on lui demande ?

— Non, bien sûr, si tu penses que ça peut fonctionner !

Fizz retrouva tout à coup le sourire.

– Et… écoute-moi, jumelle, c'est vraiment adorable de ta part d'essayer de m'aider.

Twini la serra dans ses bras.

– Ne t'en fais pas, Fizz, on va arranger ça ! Tout va bien se passer, j'en suis persuadée.

Cependant, en son for intérieur, Twini avait des doutes. Les gobelins étaient connus pour leur mauvais caractère. Et si Fizz ne parvenait pas à réparer le bec du rouge-gorge… reverraient-elles un jour le printemps ?

Chapitre sept

— Alors, d'accord, on va essayer celle-là, déclara Pix qui, un livre de pétales entre les mains, était assise au bord de la mare. Vous êtes prêtes ?

Twini et Fizz acquiescèrent. C'était la tombée de la nuit, et une brume blanche voilait le sol. Pix se pencha au-dessus de la surface gelée et entonna :

Gobelins de toujours,
Amis des petites fées,
Venez nous dire bonjour,
Montrez-vous sans tarder.
Bonjour ! Bonjour ! BONJOUR !

Twini et Fizz se joignirent à elle, battant des ailes en cadence. Elles chantèrent la chanson plusieurs fois, tout en surveillant la mare d'un œil plein d'espoir.

Rien ne se produisit.

Leurs voix s'évanouirent dans la nuit. Twini avala sa salive.

— Bon…

— On peut essayer une nouvelle danse, proposa Pix, en feuilletant nerveusement son livre.

— Ça fait déjà la troisième, protesta Fizz, agacée. Oh, ils pourraient au moins sortir et nous adresser la parole !

— Qu'y a-t-il comme autres danses, Pix ? demanda Twini, qui était assise près d'elle.

Pix s'arrêta sur une page.

— Eh bien… il en reste une pour faire pousser les algues. Et une pour calmer les grenouilles nerveuses.

— Mais évidemment, il n'y a rien d'autre sur les gobelins d'eau.

Pour Fizz, la coupe était pleine. Elle tapa

du pied et ses yeux violets brillèrent furieusement.

– En fait, non, admit Pix. Mais peut-être seraient-ils contents que l'on s'intéresse à leurs algues. Vous voyez, si jamais ils ont un petit creux…

Elle rougit et referma le livre d'un coup sec en avouant :

– On a tout essayé et je ne vois pas ce qu'on pourrait faire d'autre. C'est sans espoir.

Twini sentit sa gorge se serrer.

– Dans ce cas, nous n'avons pas le choix. Nous devons aller voir Mlle Tincelle.

– Non ! hurla Fizz. Ils vont sortir pour me parler… c'est sûr.

Elle ramassa un caillou.

– Fizz, non ! intervint Twini en la retenant. Tu ne réussirais qu'à les énerver davantage.

Son amie se dégagea.

– Je ne vois pas comment je pourrais les énerver davantage. Ça ne peut pas être pire.

Pix fit la moue.

– Hum… je crois qu'elle a raison.

– Oui, merci !

Le caillou à la main, Fizz prit de la hauteur et plongea en piqué vers la mare. En approchant de la surface, elle ralentit, leva le caillou au-dessus de sa tête et s'apprêta à le jeter. Twini grimaça, anticipant le fracas que celui-ci allait provoquer.

– STOP ! rugit une voix aqueuse.

Surprise, Fizz freina brutalement, les jambes pédalant en l'air tandis que ses ailes battaient follement. Le caillou lui échappa des mains et roula sur la surface gelée sans la briser.

Une tête verte toute luisante avait rompu la glace fine du bord de la mare.

– Qu'est-ce que c'est que cet esprit destructeur ? hurla le gobelin. D'abord, tu casses notre colonne de glace, et ensuite tu nous jettes des pierres !

Fizz déglutit péniblement.

– Je… je voulais juste vous parler, voyez-vous, je…

– Nous parler ? cria le gobelin d'une voix

stridente. Pourquoi accepterions-nous de te parler ? Tu n'as pas réparé la colonne !

– Mais elle a essayé, s'écria Twini. Elle a fait tout ce qui était en son pouvoir.

– Pouah ! ricana le gobelin. De la résine, des danses et des rubans : ce ne sont là que des insultes ! Il n'y a qu'un moyen de réparer une colonne de glace.

Ses yeux pâles saillaient de leurs orbites.

– Ah bon ? Et lequel ? demandèrent fiévreusement les trois fées.

Le gobelin allait et venait nerveusement, remontant à la surface avant de replonger immédiatement, se retenant visiblement de leur sauter à la gorge.

– Mais qu'avez-vous dans le crâne ? La poussière magique, bien entendu. N'est-ce pas absolument évident ?

Les oreilles pointues de Fizz pâlirent.

– Mais… je ne connais pas encore le secret de la poussière magique, avoua-t-elle.

– Alors, tu ne peux pas réparer la colonne, répliqua brutalement le gobelin.

— Est-ce que quelqu'un d'autre peut le faire ? implora Twini. Pix ou moi, nous pourrions…

— Non, décréta la créature.

Il pointa sur Fizz un doigt palmé accusateur.

— C'est elle qui doit s'en charger Si une autre s'avisait de le faire, nous retirerions immédiatement la colonne de glace.

– Vous allez probablement la retirer, de toute manière, observa Fizz, l'air sinistre.

Le gobelin croisa les bras sur sa poitrine décharnée.

– Exactement ! Si tu n'as pas recollé le bec du rouge-gorge avant le début de la cérémonie, nous ferons couler la colonne dans la mare et plus jamais vous ne la reverrez !

– Mais comment ferons-nous pour transformer l'hiver en printemps ? s'écria Twini, au désespoir. Nous avons besoin de la colonne ! Vous ne pouvez pas nous la retirer comme ça !

– Ha, ha ! Qu'est-ce que tu crois !

Un grand plouf se fit entendre, et le gobelin disparut de nouveau sous la glace. Toutes les suppliques pour le faire revenir furent inutiles. Finalement, les trois fées, consternées, se regardèrent.

– Bon, ben… c'est fichu, conclut Fizz d'une voix étranglée. Ça fait des semaines que j'essaie de comprendre le fameux secret de la poussière magique… je pense

que ce n'est pas demain la veille que j'y arriverai.

— Il faut que tu essaies, affirma Pix. Il nous
reste plus d'une journée, Fizz, il est encore
temps !

— Pense à ta famille, lui répéta Bimi. C'est
comme ça que j'ai trouvé.

— Je sais, tu me l'as déjà dit !

Fizz s'affala sur le bureau-champignon
en fixant le pétale jaune d'un œil furieux.

— Et pourtant, ça ne marche toujours pas.
Et puis, qu'est-ce que ma famille vient faire
dans tout ça ?

« Pauvre Fizz », pensa Twini. Elle avait
l'air épuisé. L'extinction des lucioles approchait, et ça faisait des heures qu'elles
s'étaient attelées à la tâche. Bimi avait également été mise dans la confidence, et les
quatre fées, avec la permission de Mlle Feufollet, s'étaient réunies dans la branche où
se tenait le cours de poussière magique afin
de s'entraîner.

Un escadron de quatrièmes années passa devant la fenêtre sombre pour vérifier si les décorations de glace étaient en place. La reine devait arriver à l'aube. On n'était plus qu'à quelques heures de la cérémonie… si toutefois elle avait bien lieu !

L'idée qu'elle pourrait être annulée fit frissonner Twini jusqu'aux bottines.

– Allez, Fizz, essaie encore une dernière fois ! la pressa-t-elle.

Son amie lui jeta un coup d'œil.

– Et toi, comment as-tu fait ? interrogea-t-elle. Et ne me dis pas que tu as pensé à ta famille, ou je me mets à hurler !

Twini hésita.

– Eh bien… à vrai dire, j'ai essayé de comprendre comment Bimi avait fait, finit-elle par admettre.

Fizz se prit la tête entre les mains en gémissant :

– Naturellement !

Pix frotta ses ailes jaunes contre celles de Fizz.

– Allez, essaie encore.

Twini retint son souffle pendant qu'elle plongeait la main dans sa boîte d'écorce. Elle ferma les yeux, se tut un instant… puis jeta la poussière qui se répandit en une pluie chatoyante rose et dorée.

Le pétale resta identique à lui-même. Les ailes des fées s'affaissèrent.

– À quoi as-tu pensé ? demanda Twini à voix basse.

Fizz reposa son menton dans sa main.

– Je ne sais pas. Que… je voulais connaître

le secret afin de prouver à mes parents que je pouvais y arriver. Évidemment, tu m'as dit de penser à ma famille ! se défendit-elle, remarquant que ses amies se regardaient les unes les autres.

Bimi poussa un soupir las.

– Mais pas de cette façon, Fizz. On ne peut rien te dire d'autre, sinon on te révélerait le secret. Mais… je ne sais pas, moi, essaie d'être un peu plus…

Elle se tut, rougissante, se rendant compte qu'elle avait failli éventer le secret.

– Plus quoi ? demanda Fizz, perplexe. Je ne comprends pas.

– C'est bien le problème, grommela Pix.

Twini savait qu'elle avait raison et cela lui fendait le cœur. Fizz avait toutes les peines du monde à penser aux autres. À ce rythme, elle risquait de mettre des mois à percer ce fameux mystère.

– Les filles, vous êtes encore là ?

Mlle Feufollet, surprise, planait dans l'embrasure de la porte.

— Je pense que vous vous êtes assez entraînées… vous devez être exténuées ! C'est l'heure de vous préparer pour aller au lit. Je me charge de ranger.

— Oh, mademoiselle, encore quelques minutes, s'il vous plaît ! implora Fizz. J'aimerais tellement danser à la cérémonie, moi aussi…

Mlle Feufollet secoua doucement la tête.

— Je suis vraiment désolée que tu n'aies pas encore trouvé, Fizz, mais ne t'en fais pas. Tu sais, c'est très appréciable de pouvoir simplement y assister. Allez, venez, petites fées !

Le désespoir envahit Twini, pendant qu'elles quittaient lentement la branche. Fizz n'avait plus aucune chance de découvrir le secret, maintenant. Que diable allaient-elles pouvoir faire ?

— Non, non et non !

— Mais, Fizz, on n'a pas le choix ! murmura Twini.

Elles étaient dans la branche de bain, et se frottaient les bras avec des éponges de mousse toute douce. Des seaux en coquille de noix, remplis d'eau fraîche, étaient disposés sur des champignons.

— Non, répéta Fizz. Il est hors de question que j'aille en parler à Mlle Tincelle. Et c'est exclu pour vous aussi, d'ailleurs… promettez-moi de tenir parole, vous toutes !

Elle jeta un coup d'œil rapide à Pix et à Bimi, qui faisaient leur toilette non loin de là.

— Mais, Fizz, tu vois bien que cela n'a rien à voir avec rapporter, protesta tristement Bimi. Que se passera-t-il si les gobelins font disparaître la colonne ? Il n'y aura pas de printemps du tout !

— Et la reine va arriver, ajouta Pix. On ne peut pas garder ça pour nous !

Fizz se frottait les bras, au bord des larmes.

— Peut-être que j'arriverai à découvrir le secret à temps.

— Oh, Fizz…, soupira Twini.

– J'y arriverai, affirma-t-elle en s'essuyant les yeux. Peut-être ai-je besoin d'être vraiment sous pression ? Winn doit me passer un peu de poussière magique juste avant le petit déjeuner. Je parie que j'aurai trouvé avant l'arrivée de la reine.

– Mais on ne peut pas attendre jusque-là ! s'exclama Twini. Tout le monde sera déjà au bord de la mare pour assister à la cérémonie !

– De plus, il faudrait alors que tu répares la colonne devant tout le monde, fit remarquer Bimi.

Elle avait l'air horrifié rien que d'y penser.

Fizz jeta son éponge dans le seau.

– Eh bien, ce sera toujours mieux que d'avouer que j'ai cassé le bec et qu'il n'y aura pas de printemps cette année !

– Fizz, je ne sais pas…

Pix tapait ses ailes l'une contre l'autre.

– Je pense qu'on devrait monter au bureau de Mlle Tincelle pour lui dire la vérité.

– Non !

Les poings serrés, Fizz baissa la voix :

– Ce n'est pas à vous d'aller en parler. Si je ne trouve pas avant le début de la cérémonie, je vous promets que j'irai le lui dire. Mais laissez-moi encore un tout petit peu de temps !

Chapitre huit

Les étoiles brillaient encore dans le ciel lorsque l'école, au grand complet, se réunit autour de la mare, attendant l'arrivée de la reine Mab et de sa suite. Les ornements de glace suspendus aux branches du grand chêne, tels des centaines de diamants pris au piège, oscillaient doucement dans le vent.

Mystérieuse et toujours aussi belle, la colonne de glace se dressait au centre de la mare. De l'endroit où elle planait avec les autres premières années, Twini apercevait juste le bord dentelé du petit bec cassé. Elle frissonna en se remémorant la colère du gobelin.

Fizz était livide. Elle fixait aussi le bec cassé et, à voir son expression, Twini comprit qu'elle n'avait pas encore réussi à découvrir le secret de la poussière magique.

Un frisson d'épouvante la parcourut. Les professeurs et la directrice semblaient tellement sérieux, tellement solennels ! Toutes les élèves de l'école portaient à la hanche une petite bourse de poussière magique. Elles avaient revêtu leurs plus belles robes-fleurs pour accueillir la reine.

Et c'était sûr, ça allait mal tourner.

Bimi lui donna un petit coup de coude.

– C'est terrible, susurra-t-elle. On ne peut tout de même pas rester comme ça à planer sans rien faire, non ?

– On a juré qu'on ne dirait rien. Laissons-lui encore un moment, répondit Twini à contrecœur.

– Mais la reine doit arriver d'une minute…

Bimi se tut en apercevant en haut de la

colline un couple de majestueux papillons argentés. Ils décrivirent des cercles de plus en plus bas au-dessus des fées.

– Voilà la reine !

En dépit de tous ses soucis, Twini en eut le souffle coupé. D'un même mouvement, toutes les fées s'inclinèrent respectueusement. Tendant le cou, Twini ne put s'empêcher de jeter un coup d'œil furtif à travers ses cheveux roses.

Une nuée de fées plus belles les unes que les autres approchait. Les conseillers de la reine Mab étaient vêtus de somptueuses fleurs exotiques. Ils entonnèrent un chant de bienvenue de leurs voix cristallines.

Et… la reine Mab apparut ! Twini en resta bouche bée. La reine-fée bien-aimée avait des centaines d'années et, pourtant, son visage rayonnait de splendeur. Ses cheveux blonds ondulaient au vent et ses ailes d'or brillaient dans le matin pâle.

La reine et sa suite se posèrent sur la pelouse givrée.

Mlle Tincelle voleta à leur rencontre.

– Bienvenue à l'École des Fées, Votre Majesté. Nous sommes très honorées de votre visite.

Les deux fées s'embrassèrent.

La robe de la reine Mab, faite d'un lys blanc, était brodée de perles de graines. Une couronne de perles assorties étincelait à son front.

« Oh, Fizz, pourvu que tu y arrives ! »
pensa Twini avec ferveur. La fée aux cheveux mauves ferma les yeux et parut se
concentrer de toutes ses forces.

Mlle Tincelle escorta la reine Mab jusqu'à la grande tribune-champignon, que
Mlle Pétale et les élèves les plus avancées
avaient fait pousser exprès quelques jours
auparavant. Dans la lumière naissante, les
champignons, festonnés de rubans de givre,
brillaient d'un éclat argenté.

La reine Mab se retourna pour faire face
aux élèves.

– L'École des Fées est en beauté, aujour-
d'hui, s'exclama-t-elle. Je vous remercie,
gentes fées. Je sais que vous allez bien travailler pour fêter le printemps.

Les ailes palpitantes, elle s'assit sur le
champignon le plus haut. Ses conseillers
prirent place autour d'elle.

Mlle Tincelle inclina la tête en souriant.

– Je pense que nous sommes presque
prêtes.

« Fizz ! pensa Twini. Ne reste pas plantée là, DIS quelque chose ! »

Mais son amie ne dit rien. Bimi et Pix échangèrent un regard paniqué pendant que Mlle Tincelle revenait vers les élèves et voletait sur place devant elles.

– Mettez-vous en position pour la danse. Les élèves qui ne participent pas sont priées de s'asseoir par terre.

Dans un bruissement solennel, toutes les fées déployèrent leurs ailes et s'avancèrent. Mais Twini ne bougea pas d'un pouce. Elle avait l'impression que ses deux ailes avaient gelé. Oh, Fizz n'allait-elle donc rien dire ?

Puisqu'elle restait muette, c'était à elle, Twini, d'intervenir. Elle s'humecta les lèvres et ouvrit la bouche.

– Attendez ! cria soudainement Fizz. ATTENDEZ ! Nous ne pouvons pas encore commencer à danser.

Soulagée, Twini s'effondra pendant que Fizz rasait l'assemblée pour rejoindre Mlle Tincelle. Les petites fées, surprises, restèrent suspendues en l'air au-dessus de la mare et observèrent Fizz qui, écarlate, semblait expliquer quelque chose à la directrice. Elle finit par glisser la main dans sa poche pour en sortir un objet qu'elle montra à Mlle Tincelle.

L'air grave, celle-ci posa une question à Fizz. La petite fée secoua la tête et ses yeux se remplirent de larmes.

Twini prit la main de Bimi. Elles étaient toutes les deux muettes d'angoisse. Oh, qu'allait-il se passer ?

Enfin, Mlle Tincelle se tourna vers l'assemblée, faisant miroiter ses ailes arc-en-ciel.

– Nous avons un gros problème, annonça-t-elle. Fizz Rossignol a abîmé la colonne de glace et, si elle n'arrive pas à la réparer, la danse ne pourra avoir lieu.

Il y eut un silence de mort. Du haut de la grande tribune, les conseillers de la reine se penchèrent afin de se concerter. La reine Mab se tenait très droite, observant sans rien dire le déroulement des événements.

– Mais je ne peux pas la réparer ! s'écria
Fizz. Je ne sais pas utiliser la poussière
magique !

– Il faut que tu essaies à nouveau, lui dit
doucement Mlle Tincelle. Personne ne peut
le faire à part toi, Fizz. Sinon, je ne doute
pas un instant que les gobelins mettraient
leur menace à exécution.

Les fées et les professeurs de l'école
étaient des centaines, suspendus en l'air
dans leurs magnifiques robes de fête, guet-
tant le moindre geste de Fizz. À l'horizon,
les étoiles commençaient à perdre de leur
éclat.

– Dépêche-toi, Fizz, lui intima Mlle Tincelle, le jour va bientôt se lever.

Fizz se mordillait les lèvres d'un air misé-
rable. Twini voyait bien qu'elle n'avait
aucune idée de la façon d'utiliser la poussière magique.

Tout à coup, elle en eut assez, cela avait
assez duré. C'était insupportable d'assister
à la scène sans rien faire. Elle lâcha la main

de Bimi et partit en flèche rejoindre Fizz. Des cris étouffés fusèrent dans la foule.

— Ah, ma jumelle, mais comment je vais faire ? gémit son amie. Je ne peux pas la réparer !

— Si, tu peux, affirma Twini. Fizz, regarde toutes ces fées. Pense à tout le mal qu'elles se sont donné pour préparer cette cérémonie.

— Mais, je…

— Regarde le grand chêne ! la coupa Twini, au désespoir. Chaque décoration de glace a été faite à la main, avant d'être accrochée par une élève. Il y en a des centaines ! Pense au temps que ça nous a pris.

Fizz, le front plissé par l'effort de concentration, se retourna pour contempler les environs.

— Pense à l'École des Fées, murmura Twini. Tu l'aimes, cette école, je sais que tu l'aimes. Songe à ce que ressentirait chacune d'entre nous si la cérémonie devait être annulée.

Twini allait ajouter quelque chose mais elle s'interrompit, retenant son souffle. Fizz écarquilla ses yeux violets en fixant le grand chêne, puis les fées qui voletaient sur place, silencieuses.

– Je… je crois que je comprends, articula-t-elle, émerveillée. Oh, Twini, je pense que j'ai compris !

Elle décolla comme une fusée, battant de ses ailes roses aussi vite que cela lui était possible. Elle fila au sommet de la colonne. Pressant le bec de glace contre le rouge-gorge, elle ferma les yeux et fouilla dans sa poche.

Tandis que toutes les fées la fixaient, pleines d'espoir, Fizz se concentra un instant et prit une pincée de poussière magique. Puis elle la lança sur le bec.

Un éclair rose et doré illumina le sommet de la colonne. Le bec, intact, avait repris sa place.

– J'y suis arrivée ! jubila Fizz. Oh, j'ai vraiment réussi !

— C'est du très bon travail, la félicita chaleureusement Mlle Tincelle. Maintenant, les filles, à vos places, vite ! Il ne reste que quelques instants avant l'aurore.

Les fées s'envolèrent précipitamment. Twini prit un ruban de givre et se joignit aux autres. Comme le leur avait expliqué Mme Piedléger, il ne fallait pas connaître les pas à l'avance pour exécuter cette danse. Ce serait la colonne de glace elle-même qui les guiderait et elles n'auraient qu'à la suivre.

Ce qui était sûr, c'est que Twini sentit son ruban s'animer dans sa main. La colonne de glace se mit à tourner et les rubans commencèrent à s'enchevêtrer pour former un motif complexe.

Twini, ravie, les regarda se tresser. Tout à coup, elle eut envie de faire des sauts périlleux, de tournoyer et de descendre en vrille ! Elle ne pouvait pas résister. Les fées tournaient et plongeaient et sautillaient gaiement, en poussant des cris de joie. Au-dessous d'elle, Twini aperçut à travers la glace les gobelins d'eau, qui dansaient pour les accompagner.

La venue du printemps n'était pas du tout solennelle, contrairement à ce qu'elle avait imaginé. C'était brillantastiquement joyeux !

Enfin, les rubans ralentirent, puis s'arrêtèrent. Le moment était venu.

Twini, fermant les yeux, plongea la main dans sa bourse de poussière magique. « Pour le printemps, pensa-t-elle. Pour toutes les créatures, toutes les plantes et toutes les fleurs du monde ! » Et lançant la poussière sur son ruban, elle ajouta : « Au revoir, bel hiver. Et à l'année prochaine ! »

Comme ses camarades l'imitaient, des éclairs roses et dorés jaillirent autour de la colonne de glace. Elle scintillait comme un feu liquide.

Twini retint son souffle.

Lentement, si lentement qu'elle faillit ne pas le remarquer, son ruban commença à devenir vert. Tout d'abord, juste l'extrémité, puis de plus en plus. Et soudain, le ruban se transforma en lierre. Des fleurs apparurent et déployèrent leurs pétales multicolores.

Twini échangea un regard complice avec Bimi et les deux fées se sourirent. Fizz semblait plus heureuse que jamais. Pour une fois, elle ne songeait pas à s'amuser ou à rire, elle était tout simplement comblée.

La colonne de glace fondait, se parant de couleurs chaudes, tandis que les créatures sculptées s'animaient. Un blaireau s'assit,

cligna des yeux et sa truffe frémit. Plusieurs rats des champs détalèrent ; ils sautèrent de la colonne pour glisser sur la glace en poussant de petits cris d'allégresse.

Juste au moment où le premier rayon de soleil printanier vint éclairer la colonne, le rouge-gorge, au sommet, ouvrit le bec et commença à chanter.

– La colonne de glace s'est changée en colonne de verdure, annonça Mlle Tincelle.

Son sourire était chaud comme le soleil nouveau.

– Merci à vous, les fées, et bienvenue au printemps !

Il y eut ensuite une fête, où toutes les fées se retrouvèrent sur la pelouse, à siroter de la rosée gazeuse en grignotant des gâteaux aux graines sucrées. L'air était plus doux, des feuilles vert tendre et des fleurs tout juste écloses entouraient Twini et ses amies, assises au soleil, près de la mare. La glace avait déjà fondu, mais la colonne était toujours en place, avec sa nouvelle parure aux couleurs chatoyantes.

– C'est mervélicieux ! soupira Bimi en s'adossant à un pissenlit. Fizz, si tu savais comme je suis heureuse que tu aies percé le secret !

– En fait, c'est grâce à Twini. Je n'aurais jamais pu trouver toute seule. Merci, ma jumelle !

Avant que celle-ci n'ouvre la bouche, une tête verte familière surgit de l'eau.

– Et juste à temps, avec ça ! fit remarquer le gobelin. Nous pensions réellement que nous allions retirer la colonne.

– Vous n'auriez quand même pas fait ça, hein ? demanda Twini. Pas vraiment ?

Le gobelin la toisa d'un air hautain.

– Dites-vous bien que nous tenons toujours parole, même lorsque nous avons affaire à des créatures écervelées. Au revoir, jeunes fées… et j'espère que nous ne nous reverrons jamais !

Sur ce, le gobelin s'inclina cérémonieusement et fit un salto arrière pour replonger dans la mare.

Les amies se regardèrent et éclatèrent toutes de rire.

– Il est aussi charmant que tu nous l'avais annoncé, Fizz, dit Bimi en pouffant.

– Bah ! Ce n'est pas de sa faute, rétorqua Fizz en rougissant.

Twini rit de bon cœur avec ses amies, puis se laissa gagner par la mélancolie en voyant la reine Mab et sa suite, qui s'apprêtaient à quitter la fête. Bien que la souveraine se soit mêlée aux élèves après la cérémonie, Twini n'avait pas réussi à surmonter sa timidité pour aller la saluer.

Elle soupira et sirota sa rosée gazeuse, l'air morose. Elle n'aurait probablement plus jamais cette chance. Et puis, de toute façon, pourquoi une fée ordinaire rencontrerait-elle la reine ?

– Bonjour, les filles, dit une voix.

Les fées sautèrent sur leurs pieds alors que Mlle Tincelle atterrissait près d'elles.

– Je te félicite, Fizz, dit la directrice. Je savais que tu y arriverais !

– Merci, mademoiselle Tincelle. Euh… est-ce que je vais être punie ?

Mlle Tincelle éclata de rire.

– Eh bien, je pense que tu as appris que jouer des tours près d'une colonne de glace n'était pas tout à fait recommandé ! Tu as déjà été assez punie comme ça… tu as dû passer de bien mauvais moments.

– Oh, c'est sûr, mademoiselle, confirma-t-elle. C'était affreux !

Les ailes arc-en-ciel de Mlle Tincelle miroitèrent dans la lumière.

– Mais pour être sûre que tu retiendras la leçon, je pense que je vais te nommer responsable de l'entretien de la colonne de verdure pour le prochain trimestre. Tu devras planter toutes les fleurs et le lierre dans un autre endroit, afin qu'ils puissent s'épanouir.

Twini savait qu'en temps ordinaire, Fizz aurait regimbé devant la tâche difficile qui l'attendait. Mais là, elle se mit à papillonner des ailes avec ferveur, les yeux humides.

– D'accord, mademoiselle Tincelle, je serai ravie de me rendre utile.

– Très bien, dit la directrice avec un sourire. Bon, alors maintenant, Twini... la reine Mab souhaiterait s'entretenir avec toi avant son départ.

Twini en laissa tomber sa tasse en cupule de gland. Ses amies la regardèrent, bouche bée.

– Moi ? s'étonna-t-elle.

– Oui, toi.

Mlle Tincelle s'éleva du sol et plana en se dirigeant vers Twini.

– Suis-moi, vite... elle ne va pas tarder à partir.

La petite fée, hébétée, vola au côté de la directrice. Alors qu'elles approchaient de la reine et de sa suite, elle vit Mariella et Lola se faufiler auprès de Sa Majesté. Les deux fées s'avancèrent sur la pointe des pieds, pleines de respect, et Mariella dit quelque chose.

En atterrissant, Twini entendit la reine lui répondre :

— Mais bien entendu, je me souviens parfaitement de ta grand-mère !

Mariella rejeta ses cheveux en arrière et sourit à Lola d'un air prétentieux.

— Tu vois, je te l'avais dit, souffla-t-elle.

Lola la dévisageait, les yeux pleins de respect et d'admiration.

— C'était l'une des meilleures fées de compagnie que j'aie jamais eues, poursuivit la reine.

Mariella fit une grimace, comme si elle avait avalé un grain de poivre.

— Une fée de… de compagnie ? bredouilla-t-elle.

La reine Mab acquiesça.

— Oui, c'est bien ça. Une fée charmante ; nous étions très bonnes amies. Il n'y a rien de mal à être fée de compagnie, jeune demoiselle. Tu ferais mieux de ne pas être aussi méprisante, si tu veux être bien entourée.

Un sourire éclaira son beau visage quand elle aperçut Twini. Tandis qu'elle se tournait vers elle, Mariella s'éloigna, la mine boudeuse.

– Ah ! Twini Papivole ! J'ai tellement entendu parler de toi.

La reine lui prit la main alors qu'elle s'apprêtait à faire la révérence.

– De moi ? bafouilla-t-elle. Mais je n'ai fait qu'échanger quelques mots avec Fizz. Elle a découvert le secret toute seule.

La reine Mab planta ses yeux bleu azur dans les siens, comme si elle lisait au plus profond de son âme. Puis elle lui sourit.

– Je dois partir maintenant, Twini, mais nous nous reverrons, j'en suis certaine. Et je l'espère de tout mon cœur. Tu es une fée vraiment exceptionnelle, tu sais.

Elle se pencha et l'embrassa sur les deux joues.

– Merci, Votre Majesté, murmura Twini, comme dans un rêve.

Elle resta où elle était, émerveillée, pendant

que la reine prenait congé de Mlle Tincelle, puis s'élevait dans les airs, suivie de ses conseillers. Sur sa robe en lys, les perles de graines scintillèrent dans les rayons du soleil lorsqu'ils s'éloignèrent, suivis de près par les grands papillons argentés.

Mlle Tincelle posa une main sur son épaule.

– Bravo, petite fée.

– Mais je… je ne comprends pas, bredouilla Twini, confuse. Pour quelle raison voulait-elle me voir, moi ?

– Tu n'as pas encore compris, alors ? s'étonna la directrice. Pour quelle raison la reine Mab a-t-elle choisi notre école pour accueillir la cérémonie du printemps ?

Twini secoua la tête, perplexe.

– C'est à cause de toi, Twini, dit Mlle Tincelle. Parce que tu as aidé Zébra au dernier trimestre. La reine tenait à rencontrer la fée qui s'était liée d'amitié avec une guêpe… et cette histoire l'a inspirée pour renouer les liens entre les fées et les gobelins d'eau.

Elle se mit soudain à rire.

– Bien entendu, tout ne s'est pas passé exactement comme prévu, à cause de la farce de Fizz... mais nous avons fini par y arriver !

Les pensées de Twini tourbillonnaient tandis qu'elle regardait la reine et sa suite s'éloigner. Sa Majesté voulait la rencontrer personnellement. Elle, Twini Papivole ! C'était trop beau pour être vrai.

Et pourtant, c'est bien ce qui s'était passé. Réellement.

Plus tard, les fées regagnèrent leurs branches respectives afin de préparer leurs bagages pour les vacances de printemps.

– Mon père avait raison, dit Twini. C'est véritablement un trimestre que jamais, non, jamais je n'oublierai.

– Moi non plus, confirma Bimi.

Les deux fées échangèrent un sourire complice.

Fizz sourit en nouant les attaches de son sac en feuille de chêne.

— Et le meilleur reste à venir : au prochain trimestre, on sera en deuxième année ! On pourra utiliser autant de poussière magique qu'on voudra ! Oh… vous imaginez toutes les blagues qu'on va pouvoir faire…

— Fizz ! s'écrièrent toutes les autres.

— Tu n'as tout de même pas l'intention de continuer à faire des farces ? s'étonna Twini.

— Eh bien, pourquoi pas ? répliqua-t-elle d'un ton espiègle. On ne peut pas être sage tout le temps. Je me méfierai juste, au cas où il y aurait une colonne de glace dans les parages !

Twini rit de bon cœur. Fizz ne changerait jamais, ou pas vraiment et, au fond, elle en était ravie.

— Alors ça, je trouve que ce n'est pas juste, explosa Mariella. Quand je pense que tu as même dansé à la cérémonie, et pas moi ! Tu aurais dû être renvoyée ! Lorsque je raconterai à ma mère ce qui s'est passé, je parie…

– Oh oui, fais-le, je t'en supplie ! l'interrompit Fizz. Elle finira peut-être par t'envoyer dans une autre école. Et si nous lui écrivions toutes pour la supplier, nous aussi, tu crois qu'elle le ferait ?

Elle joignit les mains sous son menton, d'un air implorant.

Mariella lui lança un regard furieux et sortit, furibonde, pendant que les autres fées éclataient de rire. Décidément, elle non plus ne changerait jamais, c'était certain !

Enfin, les bagages furent prêts. Après d'interminables embrassades, Twini récupéra son sac et voltigea jusqu'à la porte de la branche. Ses parents l'attendaient probablement à l'extérieur, impatients de connaître les moindres détails de la cérémonie. Elle avait hâte de tout leur raconter… mais, malgré tout, elle marqua une petite pause pour contempler d'un œil attendri le dortoir des Jonquilles, si douillet et si accueillant, où elle avait passé tant d'heures et où elle avait tellement grandi.

Au trimestre suivant, elle et ses amies s'installeraient dans une nouvelle branche… puisqu'elles seraient enfin en deuxième année ! Fini d'être les bébés de l'école !

– Au revoir, branche des Jonquilles, chuchota-t-elle. Et… merci pour tout !

L'auteur

Titania Woods est le nom de plume
de Lee Weatherly pour sa série *L'École des Fées,*
dont une dizaine de titres ont déjà paru
en Angleterre. Auteur de plusieurs romans
pour adolescents, elle est née aux États-Unis,
et habite aujourd'hui dans le comté
du Hampshire, en Grande-Bretagne.

L'École des Fées